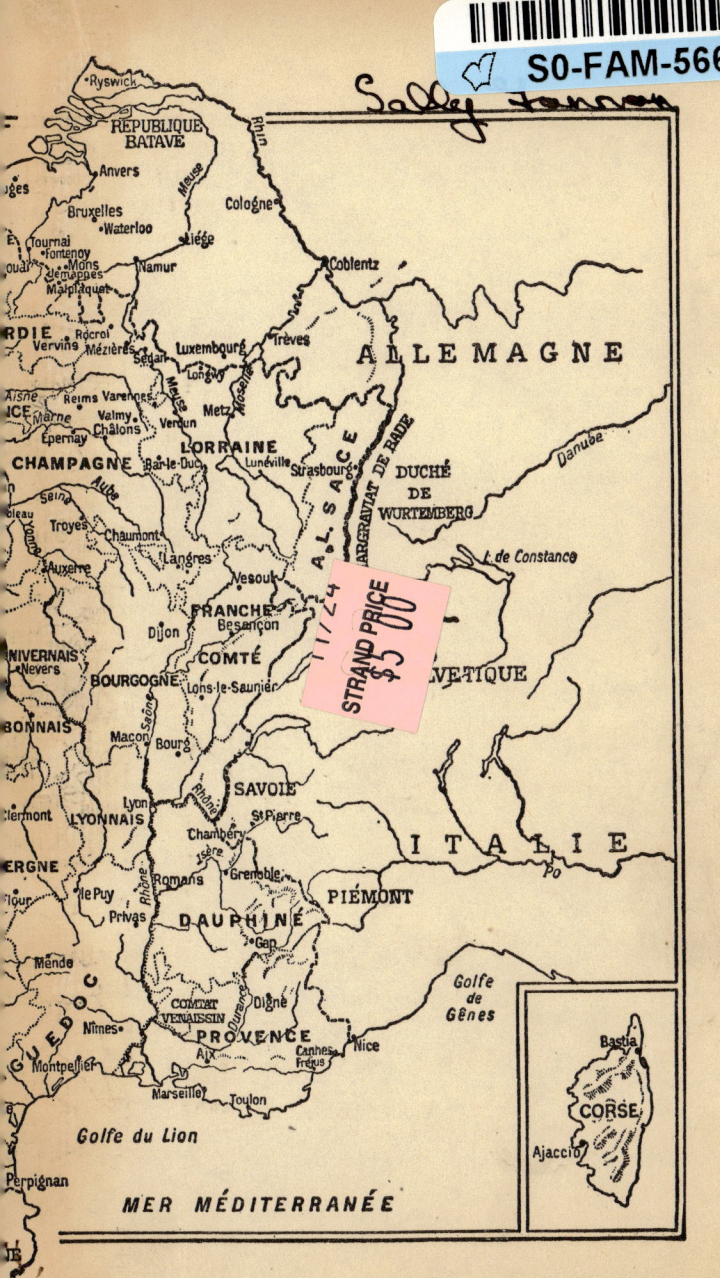

Heath's Modern Language Series

GRAMMAIRE ÉLÉMENTAIRE

PREMIÈRE ANNÉE

PAR

EMMA C. ARMAND

ANCIEN CHEF DU DÉPARTEMENT DE FRANÇAIS,
MORRIS HIGH SCHOOL, NEW YORK

D. C. HEATH & CO., PUBLISHERS

BOSTON   NEW YORK   CHICAGO

COPYRIGHT, 1918,
BY D. C. HEATH & CO.

3 C 9

PRINTED IN U. S. A.

PREFACE

This *Grammaire Élémentaire* has been written to fill a need felt by many for a very simple grammar written in French.

The keynote of this grammar is thoroughness, to attain which the following points have been observed:

1. Short vocabularies.
2. The taking up of one principle only at a time.
3. Opportunity for frequent application of each principle learned.
4. The omission of exceptions and details.
5. Abundant oral drill.

The grammar proper is preceded by seven introductory oral exercises which lead the pupils easily and at once into idiomatic French and give them a small working vocabulary. This oral work is continued by means of short stories, one being inserted after every second lesson in the first half of the book. These stories, studied conversationally, will develop fluency on the part of the pupils and train their ear.

To attain the best results the following points have been kept in mind in the choice and treatment of the stories:

1. Short selections that can be easily memorized.
2. Simple and idiomatic French.
3. Constant repetition of vocabulary.
4. Full *questionnaires*.

Every second lesson from the ninth on, contains a simple *dictée* followed by a *questionnaire*, which develops the composition to be written by the pupils the following day.

At the end of the book there is abundant reading matter which will acquaint the pupils with France — her geography, industry, government, and some of her great men.

There is also a chapter on phonetics, containing lists of words which the author believes will prove to be a practical aid in pronunciation.

E. C. A.

TABLE DES MATIÈRES

EXERCICES PRÉPARATOIRES

PAGE

I Qu'est-ce que c'est que { ceci? cela? } { un livre une chaise / un papier une plume / un crayon une porte / un tableau une fenêtre } ... 1
Montrez-moi — voici, voilà; un autre, encore un autre.

II Est-ce? Oui mademoiselle, madame, monsieur, c'est un (une)............................... 2
Non,... ce n'est pas un (une)...
Comptez de 1 à 5. un pupitre
Sur le pont d'Avignon............................... 3

III Comment est...? Il (elle) est { long, grand, haut .... / large, petit } 4
Le livre est-il...?   une table
              un mur une règle
Qu'est-ce qui est...?   une gomme

IV De quelle couleur est...? { blanc, noir / rouge, jaune / bleu, vert } 6
Comptez jusqu'à 10.
Combien font 2 et 2 (2 × 2) (10 − 3)   une robe
                                        une cravate
                                        la craie
Il était une bergère.................................. 8

V Quelle heure est-il? Il est une heure ... midi.......... 9
              (demi, quart, moins ...)

VI Où est? sur, devant moi, à ma droite................. 10
          sous, derrière vous, à votre gauche
La mère Michel..................................... 12

VII Comptez jusqu'à 16................................ 12
Jeu de oui et non.................................. 13

TABLE DES MATIÈRES

GRAMMAIRE ET LECTURE

LEÇON	PAGE
1 L'article défini, le, la	15
L'article indéfini, un, une	
Avoir, indicatif présent, forme affirmative	
2 L'	16
Avoir, indicatif présent, forme interrogative	
3 Accord de l'adjectif	18
Formation du féminin de l'adjectif	
Formation du pluriel de l'adjectif	
Être, indicatif présent, forme affirmative	
Bébé et Minet	20
4 Pluriel de l'article défini	23
Pluriel de l'article indéfini	
Formation du pluriel du nom	
Être, indicatif présent, forme interrogative	
5 Accord du pronom	25
Histoire d'un petit oiseau	26
6 Les adjectifs en « e » muet	31
Formation de phrases interrogatives, avec un nom comme sujet	
7 Avoir, indicatif présent, forme négative	33
La petite sournoise	35
8 Adjectifs possessifs	36
9 Être, indicatif présent, forme négative	38
Première dictée	40
La cigale et la fourmi	40
10 La possession	42

TABLE DES MATIÈRES

LEÇON		PAGE
11	Participes passés conjugués avec « être »...............	44
	Accord de ces participes	
	Deuxième dictée.................................	46
	Le renard et la cigogne............................	47
12	Les nombres cardinaux de 1 à 30.....................	49
13	Suite des nombres cardinaux.........................	51
	Troisième dictée.................................	53
	Le jeu...	54
14	L'heure..	55
15	L'infinitif et l'indicatif présent des verbes de la première conjugaison......................................	56
	Quatrième dictée.................................	59
	Le lion et le rat..................................	59
16	Les pronoms régimes directs..........................	62
17	Les pronoms possessifs..............................	64
	Cinquième dictée.................................	66
	Le laboureur et ses enfants.........................	67
18	L'adjectif démonstratif..............................	68
19	Les nombres ordinaux...............................	70
	Sixième dictée...................................	72
	Le distrait.......................................	73
20	Les articles contractés...............................	74
21	Le pronom démonstratif.............................	76
	La laitière et le pot au lait.........................	79
	Septième dictée..................................	81
22	Les pronoms emphatiques............................	82
23	Les participes passés conjugués avec « avoir »...........	84
	Huitième dictée..................................	86
	Le loup et le chien................................	87

TABLE DES MATIÈRES

LEÇON		PAGE
24	Les pronoms régimes indirects	89
25	L'impératif des verbes de la 1re conjugaison, avec régimes directs et indirects	91
	Neuvième dictée	93
	La récompense	94
26	Comparatif des adjectifs	95
	Les adjectifs de couleur, position	
27	L'adjectif et le pronom démonstratif avec -ci et -là	97
	Dixième dictée	99
	Noël	100
28	Les pronoms relatifs, — qui et que	102
29	Le verbe au participe	104
	Le verbe à l'infinitif	
30	L'infinitif et l'indicatif présent des verbes de la deuxième conjugaison	106
31	Emploi du nom dans un sens général ou partitif	109
	Onzième dictée	111
32	Le passé indéfini de la deuxième conjugaison	112
33	L'article partitif après une négation et devant un adjectif	114
	Douzième dictée	117
34	L'infinitif, l'indicatif présent et le passé indéfini de la troisième conjugaison	120
35	L'adjectif tout	123
	L'indicatif présent du verbe aller	
	Treizième dictée	125
36	Pluriel des noms et des adjectifs	127
	L'indicatif présent du verbe lire	
37	Formation du futur	130
	Quatorzième dictée	132

TABLE DES MATIÈRES

LEÇON		PAGE
38	Les adverbes et les noms de quantité	135
39	Formation de l'imparfait	137
	Premier emploi de l'imparfait	
	Quinzième dictée	139
40	Le pronom partitif en	141
41	Deuxième emploi de l'imparfait	143
	Seizième dictée	147
42	Les noms de matière	149
43	Troisième emploi de l'imparfait	151
	Résumé de l'emploi de l'imparfait	
	Dix-septième dictée	154
44	L'indicatif présent et l'impératif des verbes pronominaux	156
45	Passé indéfini des verbes pronominaux	159
	Dix-huitième dictée	161
46	Emploi de deux pronoms régimes devant le verbe	164
	L'indicatif présent du verbe croire	
47	L'adjectif interrogatif quel?	166
	Le pronom interrogatif lequel?	
	Dix-neuvième dictée	169
48	Position des adjectifs	171
49	Superlatif des adjectifs	173
	Vingtième dictée	175
50	Emploi de c'est, ce sont	177
	L'indicatif présent du verbe faire	
51	Formation du subjonctif présent	180
	Emploi du subjonctif présent	
	Vingt et unième dictée	183

LEÇON	PAGE
52 Pronoms interrogatifs	185
L'indicatif présent du verbe pouvoir	
53 Pronoms relatifs	188
L'indicatif présent du verbe se souvenir	
Vingt-deuxième dictée	191
54 Suite des pronoms relatifs	193
Vingt-troisième dictée	196
Le pays de France	199–214

CHOIX DE LECTURES

Jeanne d'Arc	215
Un grand savant	220
La jeunesse d'un grand peintre	222
Le teneur de livres	224
La pipe de Jean Bart	228
La chèvre de monsieur Seguin	232
La dernière classe	237
La Marseillaise	243

APPENDICE

GRAMMAIRE ÉLÉMENTAIRE

AUGMENTÉE ET ILLUSTRÉE

GRAMMAIRE ÉLÉMENTAIRE

EXERCICES PRÉPARATOIRES

I

Qu'est-ce que c'est que ceci (cela)?

C'est une chaise, c'est une plume, c'est une porte, c'est une fenêtre.

C'est un livre, c'est un papier, c'est un crayon, c'est un tableau.

Montrez-moi une chaise, montrez-moi une plume, une porte, une fenêtre.

Voilà (voici) une chaise, voilà une plume, une porte, une fenêtre.

Montrez-moi un livre, un papier, un crayon, un tableau.

Voilà (voici) un livre, un papier, un crayon, un tableau.

Qu'est-ce que c'est que ceci?   C'est une chaise.

Montrez-moi une chaise.   Voilà une chaise.

Montrez-moi une autre chaise.   Voilà une autre chaise.

(De même avec tous les noms.)

Qu'est-ce que c'est que ceci?   C'est une chaise.
Montrez-moi une chaise.   Voilà une chaise.
Montrez-moi une autre chaise.   Voilà une autre chaise.
Montrez-moi encore une autre chaise.   Voilà encore une autre chaise.

(*De même avec tous les noms.*)

II

Revue du premier exercice.

Qu'est-ce que c'est que ceci?   C'est un pupitre.
Montrez-moi un pupitre.   Voilà (voici) un pupitre.
Montrez-moi un autre pupitre.   Voilà un autre pupitre.
Montrez-moi encore un autre pupitre.   Voilà encore un autre pupitre.
Est-ce un crayon?   Oui, mademoiselle (madame, monsieur), c'est un crayon.
Est-ce un autre crayon?   Oui, mademoiselle, c'est un autre crayon.
Est-ce encore un autre crayon?   Oui, mademoiselle, c'est encore un autre crayon.

(*De même avec tous les noms.*)

Est-ce un pupitre?   Non, mademoiselle, ce n'est pas un pupitre, c'est une chaise.

(*De même avec tous les noms.*)

Est-ce un pupitre? Non, mademoiselle, ce n'est pas un pupitre, c'est une chaise.

Eh bien, montrez-moi un pupitre. Voilà un pupitre.

(*De même avec tous les noms.*)

SUR LE PONT D'AVIGNON

Sur le pont d'A-vig-non L'on y dan-se
L'on y dan-se Sur le pont d'A-vig-non

Tout le monde y danse en rond. 1. Les beaux messieurs font
2. Les belles dames font

comme ça Et puis en-core comme ça.
comme ça Et puis en-core comme ça.

un papier, **deux** papiers, **trois** papiers, **quatre** papiers, **cinq** papiers

Comptez les papiers. Un papier, deux papiers, trois papiers, *etc.*

Comptez les plumes. Une plume, deux plumes, *etc.*
(*De même avec tous les noms.*)

Montrez-moi trois papiers. Voici trois papiers.
Montrez-moi deux fenêtres. Voilà deux fenêtres.
Montrez-moi cinq pupitres. Voilà cinq pupitres.
(*De même avec tous les noms.*)

III

Revue des exercices précédents en y ajoutant les noms:

    une règle   **une gomme**
    une table   **un mur**

Comment est le crayon? Il est long.
Comment est le papier? Il est long.
Comment est le pupitre? Il est long.
Comment est la table? Elle est longue.
Comment est la règle? Elle est longue.
Comment est la plume? Elle est longue.

Le tableau est long et il est large.

Comment est le pupitre? Il est large.
Comment est la porte? Elle est large.
Comment est la fenêtre? Elle est large.

Le livre est long et large ; il est grand.

Comment est le tableau ? Il est grand.
Comment est le pupitre ? Il est grand.
Comment est la porte ? Elle est grande.
Comment est la fenêtre ? Elle est grande.
Comment est ce papier ? Il est petit.
Comment est ce livre ? Il est petit.
Comment est cette chaise ? Elle est petite.
Comment est cette gomme ? Elle est petite.

Le tableau est long ; il est large ; il est grand et il est haut.

Comment est le mur ? Il est haut.
Comment est la porte ? Elle est haute.
Comment est la fenêtre ? Elle est haute.

Le mur est-il grand ? Oui, mademoiselle, il est grand.
La règle est-elle longue ? Oui, mademoiselle, elle *etc.*
La gomme est-elle petite ? Oui, mademoiselle, elle *etc.*
La table est-elle large ? Oui, mademoiselle, elle *etc.*
Le mur est-il petit ? Non, mademoiselle, il n'est pas petit, il est grand.
La porte est-elle petite ? Non, mademoiselle, elle n'est pas petite, elle *etc.*

Qu'est-ce qui est petit ? La gomme est petite.
Qu'est-ce qui est grand ? Le mur est grand.
Qu'est-ce qui est long ? La règle est longue.

(*De même avec tous les adjectifs.*)

Comment est le mur? Il est long; il est large; il est grand et il est haut.

Comment est la fenêtre? Elle est large; elle est grande et elle est haute.

IV

Revue des exercices précédents en y ajoutant les noms:

la craie   la cravate
la robe

De quelle couleur est le papier? Il est blanc.
De quelle couleur est le mur? Il est blanc.
De quelle couleur est la craie? Elle est blanche.
De quelle couleur est la robe? Elle est blanche.
De quelle couleur est ce livre? Il est rouge.
De quelle couleur est ce crayon? Il est rouge.
De quelle couleur est cette robe? Elle est rouge.
De quelle couleur est cette cravate? Elle est rouge.
De quelle couleur est ce crayon? Il est bleu.
De quelle couleur est cette robe? Elle est bleue.
Montrez-moi une robe blanche. Voilà une robe blanche.
Montrez-moi une robe rouge. Voilà une robe rouge.
Montrez-moi une robe bleue. Voilà une robe bleue.
De quelle couleur est le tableau? Il est noir.
De quelle couleur est la cravate? Elle est noire.
De quelle couleur est la porte? Elle est jaune.

Montrez-moi un crayon jaune. Voilà un crayon jaune.
Montrez-moi une cravate jaune. Voilà une *etc*.
Montrez-moi la craie jaune. Voilà la craie jaune.
De quelle couleur est ce papier? Il est vert.
Comptez les papiers verts. Un papier vert, deux papiers verts, . . . cinq papiers verts.
Qu'est-ce qui est rouge? La robe est rouge.
Qu'est-ce qui est blanc? Qu'est-ce qui est noir? jaune? bleu? vert?

une chaise, deux chaises, trois chaises, quatre chaises, cinq chaises, **six** chaises, **sept** chaises, **huit** chaises, **neuf** chaises, **dix** chaises

Comptez les règles. Une règle, . . . dix règles.
Comptez les crayons. Un crayon, . . . dix crayons.
Comptez jusqu'à dix. Un, deux, trois, . . . dix.
Comptez par deux jusqu'à dix. Deux, quatre, six, huit, dix.
Comptez par trois jusqu'à neuf. Trois, six, neuf.
Combien font deux et deux? Deux et deux font quatre.
Combien font trois et trois? quatre et quatre? *etc*.
Combien font deux fois deux? Deux fois deux font quatre.
Combien font trois fois trois? cinq fois deux? trois fois deux? deux fois cinq? quatre fois deux?
Combien font 10 moins 3? Dix moins trois font sept.
Combien font 9 moins 4? 8 moins 5? *etc*.

IL ÉTAIT UNE BERGÈRE

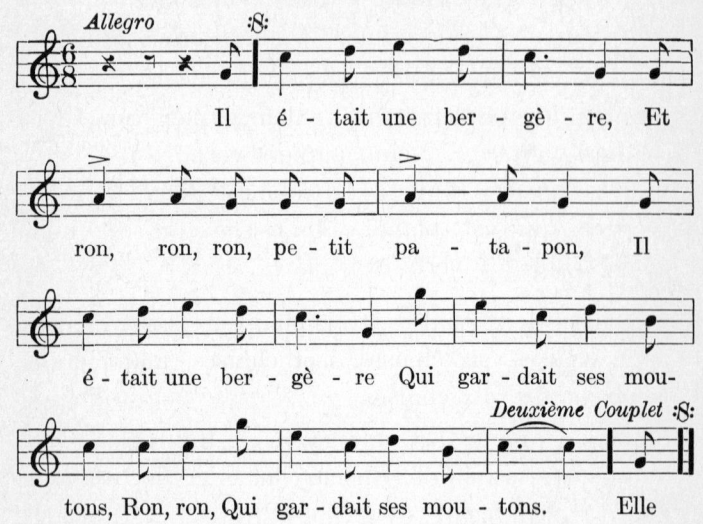

Il é - tait une ber - gè - re, Et ron, ron, ron, pe - tit pa - ta - pon, Il é - tait une ber - gè - re Qui gar - dait ses mou - tons, Ron, ron, Qui gar - dait ses mou - tons. Elle

II

Elle fit un fromage,
Et ron, ron, ron, petit patapon,
Elle fit un fromage
Du lait de ses moutons,
Ron, ron,
Du lait de ses moutons.

III

Le chat qui la regarde,
Et ron, ron, ron, petit patapon,
Le chat qui la regarde
D'un petit air fripon,
Ron, ron,
D'un petit air fripon.

IV

Si tu y mets la patte,
Et ron, ron, ron, petit patapon,
Si tu y mets la patte,
Tu auras du bâton,
Ron, ron,
Tu auras du bâton.

V

Il n'y mit pas la patte,
Et ron, ron, ron, petit patapon,
Il n'y mit pas la patte,
Il y mit le menton,
Ron, ron,
Il y mit le menton.

V

Revue des exercices précédents.

(*Avoir un cadran avec des aiguilles mobiles.*)

Quelle heure est-il ? Il est une heure.
Il est deux heures.
Il est trois heures, *etc.*
Il est onze heures.
Il est midi.

Quelle heure est-il ? Il est une heure et demie.
Il est deux heures et demie, trois heures et demie, quatre heures et demie, ... jusqu'à
Il est midi et demi.

Quelle heure est-il ? Il est une heure et quart.
Il est deux heures et quart, trois heures et quart, quatre heures et quart, ... jusqu'à
Il est midi et quart.

Quelle heure est-il ?  Il est une heure moins le quart.
Il est deux heures moins le quart, trois heures moins le quart, quatre heures moins le quart, ... jusqu'à
Il est midi moins le quart.

Quelle heure est-il? Il est une heure.
Il est une heure cinq.
Il est une heure dix.
Il est une heure et quart.
Il est une heure et demie.
Il est deux heures moins le quart.
Il est deux heures moins dix.
Il est deux heures moins cinq.
Il est deux heures.

Il est cinq heures.
Il est dix heures et demie.
Il est six heures moins dix.
Il est midi et quart, quatre heures moins le quart, *etc.*

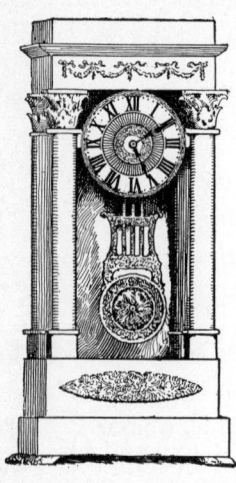

VI

Revue de l'exercice précédent.

Où est le livre? Il est sur le pupitre.
Où est le livre maintenant? Il est sous le pupitre.
Où est la plume? Elle est sur la chaise.
Où est la plume maintenant? Elle est sous la chaise.
Où est la règle? Elle est sur le livre.
Où est la règle maintenant? Elle est sous le livre.
Qu'est-ce qui est sur la table? La gomme est sur la table.

Qu'est-ce qui est sous la table?
Qu'est-ce qui est sur le mur?
Qu'est-ce qui est sous la chaise? *etc.*

Où est la table?   Elle est devant moi.
Où est la chaise?   Elle est devant moi.
Où est le tableau?   Il est derrière moi.
Où est ce pupitre?   Il est derrière moi.

Qu'est-ce qui est devant vous?
Qu'est-ce qui est derrière vous?
Qu'est-ce qui est devant moi?
Qu'est-ce qui est derrière moi?
Qu'est-ce qui est devant la fenêtre?
Qu'est-ce qui est derrière la porte?
Qu'est-ce qui est sur le pupitre?
Qu'est-ce qui est sous le livre? *etc.*

Où est la fenêtre?   Elle est à ma gauche.
Où est la chaise?   Elle est à ma gauche.
Où est ce mur?   Il est à ma gauche.
Où est la porte?   Elle est à ma droite.
Où est cette chaise?   Elle est à ma droite.
Où est ce mur?   Il est à ma droite.

Qu'est-ce qui est à votre droite?
Qu'est-ce qui est à votre gauche?
Qu'est-ce qui est à ma droite?
Qu'est-ce qui est à ma gauche?
Qu'est-ce qui est devant vous?
Qu'est-ce qui est derrière vous?

LA MÈRE MICHEL

C'est la mère Mi-chel qui a per-du son chat,

Elle crie par la fenê-tre qui le lui ren-dra, Et

le père Lus-tu-cru lui a fort bien répon-du Mais

non, la mère Mi-chel, votre chat n'est pas per-du.

VII

Revue des exercices cinq et six.

Comptez jusqu'à seize. Un, deux, trois, . . . dix, **onze, douze, treize, quatorze, quinze, seize.**

Comptez par deux jusqu'à seize.

Comptez par trois jusqu'à quinze.

Comptez par quatre jusqu'à seize.

Comptez par cinq jusqu'à quinze.

Combien font 6 fois 2? 7 fois 2? 8 fois 2? 3 fois 5? 3 fois 4? 2 fois 7? 3 fois 3?

Combien font 7 et 6? 6 et 7? 5 et 6? 6 et 5? 5 et **7**?

Combien font 10 et 6? 12 et 4? 3 et 5?
Combien font 16 moins 3? 15 moins 3? 16 moins 4?
  12 moins 1? 10 moins 8?

JEU DE «OUI ET NON»

(*Un enfant sort de la salle; on choisit un objet; un second enfant ouvre la porte et dit:* «*Entrez, monsieur* [*mademoiselle*].» *Celui qui rentre pose une question à chaque élève et continue ses questions jusqu'à ce qu'il ait deviné l'objet.*)

Est-ce grand?   Non, ce n'est pas grand.
Est-ce petit?   Non, ce n'est pas petit.
Est-ce de grandeur moyenne?   Oui, c'est de grandeur moyenne.
Est-ce devant moi?   Non, ce n'est pas devant vous.
Est-ce derrière moi?   Non, ce n'est pas derrière vous.
Est-ce à ma droite?   Non, ce n'est pas à votre droite.
Est-ce à ma gauche?   Oui, c'est à votre gauche.
Est-ce sur le pupitre?   Oui, c'est sur le pupitre.
Est-ce blanc?   Non, ce n'est pas blanc.
Est-ce bleu?   Non, ce n'est pas bleu.
Est-ce rouge?   Non, ce n'est pas rouge.
Est-ce jaune?   Oui, c'est jaune.
Est-ce la craie jaune?   Oui, c'est la craie jaune.

PREMIÈRE LEÇON

le livre, the book
un crayon, a pencil
le papier, the paper

la chaise, the chair
une plume, a pen
une table, a table

et, and

L'article défini est **le** pour le masculin singulier et **la** pour le féminin singulier.

L'article indéfini est **un** pour le masculin singulier et **une** pour le féminin singulier.

Lisez les noms du vocabulaire, mettant l'article défini devant chaque nom.

Lisez les noms du vocabulaire, mettant l'article indéfini devant chaque nom.

Épelez **livre**. *Épelez* **crayon**. *Épelez* **papier**, *etc.*

avoir — *Indicatif présent, forme affirmative*

j'ai, I have
tu as, thou hast
il a, he has
elle a, she has

nous avons, we have
vous avez, you have
ils ont, they (*m.*) have
elles ont, they (*f.*) have

Conjuguez les phrases suivantes:

1. J'ai la plume.
2. J'ai le livre.
3. J'ai un crayon.
4. J'ai une plume.
5. J'ai une table.
6. J'ai un papier.

On dit **le** papier parce que **papier** est masculin singulier. On dit **la** chaise parce que **chaise** est féminin singulier. Pourquoi dit-on **le** crayon? **la** table? **une** plume? **un** livre?

1. Il a une plume. 2. Elle a un crayon. 3. Vous avez une table. 4. Nous avons le papier. 5. J'ai une chaise. 6. Ils ont le livre. 7. Nous avons une table et une chaise. 8. Il a un crayon et une plume. 9. Elle a la plume, le crayon et le papier. 10. Ils ont la table et la chaise.

1. She has the pencil. 2. He has the pen. 3. We have the table. 4. You have a paper. 5. I have a book. 6. They have the chair. 7. We have a pen and a pencil. 8. She has a table and a chair. 9. I have the paper and the pen. 10. They have the book and a pencil.

DEUXIÈME LEÇON

l'enfant, *m. ou f.*, the child
l'eau, *f.*, the water
un ami, a friend
l'homme, the man
une histoire, a story
l'encre, *f.*, the ink

On se sert de **l'** au lieu de **le** ou **la** devant une voyelle ou un **h** muet.

Épelez **enfant**. *Épelez* **histoire**. *Épelez* **homme**, *etc.*

On dit **l'enfant** (au lieu de **le enfant**) parce que **enfant** commence par une voyelle. Pourquoi dit-on **l'eau**? **l'encre**? **l'homme**? **l'ami**? **l'histoire**?

DEUXIÈME LEÇON

avoir — *Indicatif présent, forme interrogative*

ai-je? have I?	**avons-nous?** have we?
as-tu? hast thou?	**avez-vous?** have you?
a-t-il? has he?	**ont-ils?** have they (*m.*)?
a-t-elle? has she?	**ont-elles?** have they (*f.*)?

j'ai vu { I have seen / I saw / I did see }   **j'ai trouvé** { I have found / I found / I did find }

Conjuguez les phrases suivantes:

1. Ai-je vu?
2. Ai-je trouvé?
3. Ai-je vu l'enfant?
4. Ai-je trouvé l'enfant?
5. Ai-je vu l'homme?
6. J'ai vu l'ami.
7. J'ai trouvé une histoire.
8. Ai-je trouvé l'encre?
9. Ai-je l'eau?
10. Ai-je trouvé l'histoire?

Lisez les phrases suivantes et répondez-y:

1. Avez-vous un ami? 2. A-t-il vu l'encre? 3. Avons-nous une histoire? 4. Ont-ils trouvé l'enfant? 5. A-t-elle vu l'homme? 6. Avez-vous trouvé le livre, le papier et le crayon? 7. Avons-nous vu la table et la chaise? 8. Avez-vous une plume? 9. Ont-ils un enfant? 10. Ai-je un ami?

1. He has the ink. 2. Has he seen the child? 3. He has seen the child. 4. Have you found a story? 5. I have found a story. 6. The man has seen the child. 7. Have they seen the man? 8. The child found a book. 9. Has she seen the book? 10. Have I seen the story?

TROISIÈME LEÇON

il est petit, he (it) is small	**ils sont petits,** they are small
elle est petite, she (it) is small	**elles sont petites,** they are small
il est grand, he (it) is tall	**ils sont grands,** they are tall
elle est grande, she (it) is tall	**elles sont grandes,** they are tall

Un adjectif s'accorde en genre et en nombre avec le nom qu'il qualifie.

Pour former le féminin d'un adjectif, on ajoute **e** au masculin.

Pour former le pluriel d'un adjectif, on ajoute **s** au singulier.

SINGULIER		PLURIEL		
Masculin	*Féminin*	*Masculin*	*Féminin*	
petit	petite	petits	petites	small, short
grand	grande	grands	grandes	tall, large
noir	noire	noirs	noires	black
vert	verte	verts	vertes	green
bleu	bleue	bleus	bleues	blue
haut	haute	hauts	hautes	high
bon	bonne	bons	bonnes	good, kind
méchant	méchante	méchants	méchantes	naughty, wicked
mauvais	mauvaise	mauvais	mauvaises	bad

très, very

Dans la phrase **il est grand, grand** est un adjectif qui qualifie **il**; **il** est masculin singulier, par conséquent **grand** est masculin singulier.

Lisez les phrases suivantes et analysez les adjectifs:
1. Elle est bonne. 2. Ils sont grands. 3. Elles sont méchantes. 4. La table est haute. 5. La chaise est verte. 6. La plume est mauvaise.

être — *Indicatif présent, forme affirmative*

je suis, I am   **nous sommes,** we are
tu es, thou art   **vous êtes,** you are
il est, he is   **ils sont,** they are
elle est, she is   **elles sont,** they are

Conjuguez les phrases suivantes:
1. Je suis petit(e).
2. Je suis grand(e).
3. Je suis bon(ne).
4. Je suis méchant(e).
5. Je suis très petit(e).
6. Je suis très grand(e).

1. Vous êtes très petit. 2. Il est très bon. 3. Ils sont très méchants. 4. Nous sommes bons. 5. L'enfant est méchant. 6. Le crayon est bleu. 7. La table est très haute. 8. L'eau est verte. 9. L'encre est noire. 10. L'eau est mauvaise.

1. The story is very good. 2. The pencil is black. 3. The man and the child are good. 4. The chair is very high. 5. The ink is blue. 6. You are very tall. 7. You have found a very good story. 8. The books are green. 9. He has a bad pen. 10. The child is very naughty. 11. The ink is very bad. 12. Have you found a good pen?

BÉBÉ ET MINET

Voici Bébé et voici Minet.
Bébé aime Minet et Minet aime Bébé.
Bébé caresse Minet et Minet fait ronron.
Bébé tire la moustache à Minet et Minet fait miaou! miaou!

Il est sept heures et Bébé a faim.
Bébé a un bol de soupe au lait.
Il aime beaucoup la soupe au lait.
Bébé mange sa soupe bien proprement.
Il la mange avec une cuillère comme une grande personne.

Il est sept heures et Minet a faim.
Mais Minet n'a pas de soupe au lait, le pauvre!
Il saute sur la table et fait ronron.
Il dit: « J'ai faim, Bébé; moi aussi, j'ai faim ».

Bébé fait glouglou, glouglou; la soupe est bonne et il est content.
Il aime beaucoup Minet mais, à présent, il aime mieux encore sa soupe au lait.

Minet va plus près de la soupe:
« Oh, qu'elle est bonne! »

Minet va *très* près de la soupe:
« Oh, qu'elle est délicieuse! »

Minet va *trop* près de la soupe et voilà que Bébé se fâche.

« Allez-vous-en, méchant Minet, allez-vous-en. »

Et Bébé pousse Minet si fort, *si* fort que, patatras, tout tombe:

Minet et la soupe et le bol et la nappe.

Tout tombe sur la tête du pauvre Minet.

Un bain et un chapeau!

Et pauvre Minet qui n'aime ni bain ni chapeau!

Bébé crie; il pense qu'il va pleurer.

Mais non, vraiment, Minet est trop drôle!

Bébé rit de tout son cœur.

Et Minet court encore.

Questionnaire

A. 1. Montrez-moi Bébé. 2. Montrez-moi Minet. 3. Qui Bébé aime-t-il? 4. Qui Minet aime-t-il? 5. Minet parle-t-il? 6. Que fait Minet quand il est content? 7. Que fait Minet quand il n'est pas content? 8. Quand Minet fait-il ronron? 9. Quand Minet fait-il miaou?

B. 1. Quelle heure est-il? 2. Pourquoi Bébé est-il à table? 3. Qu'y a-t-il devant Bébé? 4. Où est la soupe au lait? 5. Où est le bol? 6. Bébé aime-t-il la soupe au lait? 7. Comment Bébé mange-t-il sa soupe? 8. Avec quoi mange-t-il sa soupe? 9. Comme qui Bébé mange-t-il sa soupe? 10. Comment une grande personne mange-t-elle sa soupe? 11. Avec quoi une grande personne mange-t-elle sa soupe?

C. 1. Minet a-t-il un bol de soupe au lait? 2. Minet n'a-t-il pas faim? 3. Minet parle-t-il à Bébé? 4. Où Minet va-t-il pour parler à Bébé? 5. Que dit-il à Bébé? 6. Comment dit-il «J'ai faim, Bébé, moi aussi, j'ai faim»?

D. 1. Bébé parle-t-il encore? 2. Que fait-il? 3. Pourquoi fait-il glouglou, glouglou? 4. Pourquoi est-il content? 5. Aime-t-il Minet? 6. Aime-t-il sa soupe au lait? 7. Lequel aime-t-il mieux, Minet ou la soupe au lait? 8. Quand aime-t-il mieux sa soupe au lait? 9. Quand aime-t-il mieux Minet?

E. 1. Bébé donne-t-il de la soupe au lait à Minet? 2. Où va Minet? 3. Que dit-il quand il sent la soupe? 4. Où va-t-il alors? 5. Que dit-il quand il est très près de la soupe? 6. Et alors où va-t-il? 7. Bébé est-il content? 8. Pourquoi Bébé se fâche-t-il? 9. Que dit Bébé à Minet quand il se fâche?

F. 1. Minet obéit-il à Bébé? 2. Quand Minet n'obéit pas à Bébé, que fait Bébé? 3. Qu'est-ce qui arrive quand Bébé pousse Minet très fort? 4. Qu'est-ce qui tombe quand Bébé pousse Minet? 5. Où tombe la soupe? 6. Où tombe le bol? 7. Où tombe la nappe? 8. Minet est-il content? 9. Pour-

quoi n'est-il pas content? 10. Minet aime-t-il le chapeau?
11. Aime-t-il le bain?

G. 1. Que fait Bébé quand tout tombe? 2. Que pense-t-il faire? 3. Pourquoi ne pleure-t-il pas? 4. Au lieu de pleurer que fait-il? 5. Comment rit-il? 6. Minet reste-t-il avec le bol sur la tête? 7. Minet rit-il? 8. Minet pleure-t-il?

QUATRIÈME LEÇON

le père, the father	**les pères,** the fathers
la mère, the mother	**les mères,** the mothers
le frère, the brother	**les frères,** the brothers
une sœur, a sister	**des sœurs,** (some) sisters
un oncle, an uncle	**des oncles,** (some) uncles
une tante, an aunt	**des tantes,** (some) aunts

ou, or

Le pluriel de l'article défini est **les**.

Le pluriel de l'article indéfini est **des**.

Pour former le pluriel d'un nom, on ajoute **s** au singulier.

Lisez les noms du vocabulaire, mettant l'article indéfini devant chaque nom.

Lisez les noms du vocabulaire, mettant l'article défini devant chaque nom.

être — *Indicatif présent, forme interrogative*

suis-je? am I?	**sommes-nous?** are we?
es-tu? art thou?	**êtes-vous?** are you?
est-il? is he?	**sont-ils?** are they?
est-elle? is she?	**sont-elles?** are they?

Conjuguez les phrases suivantes:

1. Suis-je très petit(e)?
2. Suis-je bon ou méchant?
3. Suis-je petit ou grand?
4. J'ai un père et une mère.
5. Ai-je des frères et des sœurs?
6. Ai-je des oncles et des tantes?

Lisez les phrases suivantes et répondez-y:

1. Êtes-vous petit ou grand? 2. Est-il bon ou méchant? 3. Le père est-il grand? 4. La mère est-elle bonne? 5. La table est-elle haute? 6. L'encre est-elle noire ou bleue? 7. Les livres sont-ils verts ou bleus? 8. L'oncle est-il grand ou petit? 9. La tante est-elle bonne ou méchante? 10. L'encre est-elle bonne ou mauvaise?

1. Is he tall? 2. Is she tall? 3. Are they good or naughty? 4. They are very good. 5. Am I tall? 6. You are very tall. 7. The father and the mother are tall. 8. The brothers and the sisters are kind. 9. The tables and the chairs are high. 10. The children have some books. 11. Have you any pens? 12. We have some pens.

CINQUIÈME LEÇON

J'ai un crayon; *il* **est bon.** I have a pencil; it is good.
J'ai une plume; *elle* **est bonne.** I have a pen; it is good.
Nous avons deux livres; *ils* **sont petits.** We have two books; they are small.
Vous avez trois chaises; *elles* **sont grandes.** You have three chairs; they are large.

Le pronom s'accorde en genre et en nombre avec le nom qu'il représente.

le garçon, the boy	**j'ai écrit,** I have written, wrote, did write
la fille, the girl	
une lettre, a letter	**j'ai perdu,** I have lost, lost, did lose
une grammaire, a grammar	**j'ai lu,** I have read, read, did read
intéressant, interesting	**qui?** who? whom?
à, to	**que?** what?

Conjuguez les phrases suivantes:

1. Qui ai-je vu?
2. A qui ai-je écrit?
3. A qui ai-je lu la lettre?
4. Qu'ai-je écrit?
5. Qu'ai-je perdu?
6. Qu'ai-je lu?

Nous avons lu le livre; il est très intéressant. **Il** est un pronom qui représente **livre;** **livre** est masculin singulier, par conséquent **il** est masculin singulier.

Lisez les phrases suivantes mettant un pronom à la place de chaque tiret et analysez ces pronoms:

1. J'ai lu une histoire; —— est intéressante.
2. Nous avons écrit des lettres; —— sont bonnes.
3. J'ai vu les garçons; —— sont grands. 4. Nous avons trouvé une plume; —— est mauvaise. 5. J'ai vu les grammaires; —— sont vertes.

Lisez les phrases suivantes et répondez-y:

1. Qui avez-vous vu, le petit garçon ou la petite fille? 2. Qu'a-t-il écrit? 3. Qui a écrit la lettre? 4. Qu'avez-vous trouvé? 5. Qui ont-ils trouvé? 6. Qui a lu une histoire intéressante? 7. Qui a un ami? 8. Qu'avez-vous perdu? 9. La grammaire est-elle intéressante? 10. Avez-vous perdu ou trouvé un crayon?

1. The boy has written a letter; it is interesting. 2. Who read the letter? 3. The girl found a pencil; it is (a) good (one). 4. I saw the grammars; they are small. 5. To whom did you write a letter? 6. We found the papers; they are interesting. 7. Who found the letters? 8. What have you lost? 9. What did he read? 10. Did he read a good story?

HISTOIRE D'UN PETIT OISEAU

Petit Jean a un oiseau. C'est bonne maman qui lui a donné l'oiseau, — un joli petit oiseau jaune. Elle lui a aussi donné une jolie petite cage jaune.

L'oiseau chante beaucoup. Il est très gai. L'oiseau chante et petit Jean chante avec lui. Mais quelque-

fois l'oiseau est triste et alors il chante une chanson bien triste:

«Ma cage est trop petite pour moi. J'aime l'air, le soleil, les fleurs et les autres oiseaux. Ouvrez la porte de ma cage. J'aime la liberté. J'aime la liberté par-dessus tout.»

Petit Jean a bon cœur. Il dit: «Petit oiseau, j'ouvrirai la porte de votre cage et vous aurez l'air, le soleil, les fleurs et les autres oiseaux. Vous aurez la liberté que vous aimez par-dessus tout.»

Hélas, petit Jean oublie ce que sa maman lui a dit: «Si petit Jean ouvre la porte de la cage, Minet saisira l'oiseau et le mangera.» Hélas, petit Jean oublie et il ouvre la porte de la cage.

L'oiseau saute sur la fenêtre et Minet saute après

lui. Petit Jean crie et maman court; mais il est trop tard. Ah, c'est trop triste.

Petit Jean pleure beaucoup son oiseau. Il veut lui faire de belles funérailles. Il invite sa cousine Juliette aux funérailles du pauvre petit oiseau, parce qu'elle l'avait bien aimé. Il invite aussi la poupée et le chien de Juliette parce que, eux aussi, l'avaient bien aimé.

Ah, c'est une procession bien triste! En tête, petit Jean avec sa pelle sous le bras, qui tire lentement la petite voiture sur laquelle reposent les restes de la malheureuse victime de Minet; puis vient Juliette, la tête baissée, sa poupée dans les bras; enfin en queue le pauvre Toto qui a le cœur bien gros.

Les voici tous autour de la fosse, tous pleurant à chaudes larmes, tous excepté petit Jean qui fait l'homme; mais il a le cœur bien, bien gros. Il plante une rose sur la fosse. La rose dira tous les jours à l'oiseau que petit Jean ne l'oublie pas.

Et le soir quand petit Jean, Juliette, Toto et la poupée sont tous bien bordés dans leurs lits, tous les petits oiseaux du village volent autour de la fosse et chantent leurs adieux au petit oiseau qui aimait la liberté par-dessus tout.

Questionnaire

A. 1. Quel petit animal petit Jean a-t-il ?   2. Qui a donné l'oiseau à petit Jean ?   3. Comment est l'oiseau de petit Jean ? 4. De quelle couleur est le petit oiseau ?   5. Comment appelle-t-on la maison d'un oiseau ?   6. Qu'est-ce que c'est qu'une cage ?   7. Comment est la cage de l'oiseau ?   8. Qui a donné la jolie petite cage jaune à petit Jean ?

B. 1. L'oiseau est-il gai ?   2. Que fait l'oiseau qui montre qu'il est gai ?   3. Petit Jean est-il content quand l'oiseau chante ?   4. Qu'est-ce qui montre que petit Jean est content quand l'oiseau chante ?   5. L'oiseau est-il toujours gai ? 6. Êtes-vous toujours gai ?   7. Que fait l'oiseau quand il est triste ?

C. 1. Pourquoi l'oiseau est-il triste ?   2. Quelles sont les choses que l'oiseau aime ?   3. Que demande-t-il à petit Jean ? 4. Pourquoi demande-t-il que petit Jean ouvre la porte de sa cage ? 5. L'oiseau qu'aime-t-il par-dessus tout ?   6. Les Américains qu'aiment-ils par-dessus tout ?   7. Les Français qu'aiment-ils par-dessus tout ?   8. Qui aime la liberté par-dessus tout ? 9. Qui aimez-vous par-dessus tout ?   10. Que chante l'oiseau quand il est triste ?

D. 1. Petit Jean comprend-il la chanson triste de l'oiseau ? 2. Que répond-il à l'oiseau ?   3. Aimez-vous petit Jean ?   4. Pourquoi l'aimez-vous ?   5. Mais, hélas, petit Jean qu'oublie-t-il ?   6. La maman qu'a-t-elle dit ?   7. Petit Jean ouvre-t-il la porte de la cage ?   8. Que fait l'oiseau quand petit Jean ouvre la porte de la cage ?   9. Que fait Minet ?   10. Petit Jean ne voit-il pas Minet sauter après l'oiseau ?   11. La maman n'est-elle pas à la maison ?   12. Pourquoi ne sauve-t-elle pas l'oiseau ?

E. 1. Petit Jean est-il triste ?   2. Que veut-il faire pour son pauvre petit oiseau ?   3. Qui invite-t-il aux funérailles de son pauvre petit oiseau ?   4. Pourquoi invite-t-il Juliette aux funérailles de l'oiseau ?   5. Qui est Juliette ?   6. Qui invite-t-il encore aux funérailles de l'oiseau ?   7. Pourquoi invite-t-il le chien et la poupée de Juliette aux funérailles de l'oiseau? 8. Comment s'appelle le chien de Juliette? 9. Avez-vous un chien? 10. Comment s'appelle-t-il? 11. Comment vous appelez-vous? 12. Comment s'appelle votre frère? 13. Comment s'appelle votre sœur?

F. 1. La procession est-elle gaie? 2. Où est petit Jean? 3. Comment marche-t-il? 4. Que porte-t-il sous le bras? 5. Que tire-t-il? 6. Qu'y a-t-il sur la voiture? 7. Qui vient après la voiture? 8. Comment marche-t-elle? 9. Comment savons-nous qu'elle est triste? 10. Que porte-t-elle? 11. Où est Toto? 12. Toto est-il triste? 13. Qui est en tête de la procession? 14. Qui est en queue de la procession?

G. 1. Pourquoi petit Jean a-t-il une pelle? 2. Pourquoi fait-il une fosse? 3. Quand petit Jean, Juliette, Toto et la poupée sont tous autour de la fosse, sont-ils très tristes? 4. Pleurent-ils tous à chaudes larmes? 5. Jean n'est-il pas triste aussi? 6. Pourquoi ne pleure-t-il pas aussi à chaudes larmes? 7. Toto fait-il l'homme? 8. Petit Jean que plante-t-il sur la fosse? 9. Que dira la rose au pauvre petit oiseau?

H. 1. L'oiseau a-t-il d'autres amis? 2. Comment les petits oiseaux du village montrent-ils qu'ils sont les amis du pauvre petit oiseau mort? 3. Quand les oiseaux du village chantent-ils leurs adieux au pauvre petit oiseau mort? 4. Où sont petit Jean, Juliette, Toto et la poupée quand les oiseaux chantent leurs adieux au petit oiseau mort? 5. Qui vous borde dans votre lit?

SIXIÈME LEÇON

Le garçon est jeune. The boy is young.
La fille est jeune. The girl is young
Le livre est rouge. The book is red.
La robe est rouge. The dress is red.

Les adjectifs en **e** muet ne changent pas au **féminin.**

SINGULIER		PLURIEL		
Masculin	*Féminin*	*Masculin*	*Féminin*	
facile	facile	faciles	faciles	easy

difficile, difficult
malade, ill
jeune, young
large, wide
rouge, red
jaune, yellow

riche, rich
pauvre, poor
utile, useful
la porte, the door
la craie, the chalk
la fenêtre, the window

Conjuguez les phrases suivantes:

1. Suis-je riche ou pauvre?
2. Suis-je jeune?
3. Ai-je un livre facile?
4. J'ai un ami malade.
5. J'ai un livre utile.
6. J'ai un crayon rouge.

L'homme est-il malade? Is the man ill?
Les enfants sont-ils jeunes? Are the children young?
La plume est-elle bonne? Is the pen good?

Dans une question, si le sujet est un nom, le nom vient d'abord, puis le verbe avec un pronom qui représente le nom.

Demandez-moi: 1. Si l'histoire est intéressante; 2. si l'enfant a un père riche ou pauvre; 3. si l'eau est bleue ou verte; 4. si l'homme a un enfant malade; 5. si la fenêtre est large et haute; 6. si les enfants ont des grammaires; 7. si la craie est jaune ou rouge; 8. si les enfants sont très malades; 9. si l'encre est bonne ou mauvaise; 10. si la grammaire est facile ou difficile.

Lisez les phrases suivantes, trouvez les adjectifs qui ne changent pas au féminin et expliquez pourquoi ils ne changent pas:

1. La mère est-elle malade? 2. La porte est-elle haute et large? 3. Les livres sont-ils bons et utiles? 4. La grammaire est-elle facile ou difficile? 5. La sœur a-t-elle une bonne plume?

1. Is a table useful? 2. It is very useful. 3. Is the boy very ill? 4. Are the windows high and wide? 5. Are the stories very interesting? 6. Has the man found the books? 7. Is the grammar easy or difficult? 8. Has the young boy lost the letters? 9. Are the pencils red or blue?

SEPTIÈME LEÇON

avoir — *Indicatif présent, forme négative*

je *n*'ai *pas*, I have not	nous *n*'avons *pas*
tu *n*'as *pas*	vous *n*'avez *pas*
il *n*'a *pas*	ils *n*'ont *pas*
elle *n*'a *pas*	elles *n*'ont *pas*

la maison, the house
le tiroir, the drawer
le tableau, the picture
j'ai fermé, I have closed, *etc.*
      pour, for
      oui, yes

j'ai ouvert, I have opened, opened, did open
j'ai acheté, I have bought, bought, did buy
      dans, in
      non, no

Conjuguez les phrases suivantes:

1. Je n'ai pas fermé la porte.
2. Je n'ai pas fermé le tiroir.
3. Je n'ai pas ouvert la fenêtre.
4. Je n'ai pas ouvert le tiroir.
5. Je n'ai pas acheté le tableau.
6. Je n'ai pas acheté la maison.
7. Je n'ai pas acheté les chaises.
8. Je n'ai pas ouvert la porte.

Lisez les phrases suivantes et répondez-y:

1. Avez-vous ouvert ou fermé la porte? 2. L'homme a-t-il acheté une maison? 3. Qui a acheté le tableau? 4. Qui a fermé les fenêtres? 5. Le garçon a-t-il acheté des livres? 6. Qui a ouvert le livre? 7. Avons-nous fermé ou ouvert le tiroir? 8. Les livres sont-ils dans le tiroir? 9. Qu'avez-vous écrit dans le livre?

1. Has the man closed the windows? 2. No, he has not closed the windows. 3. Who opened the doors? 4. The boy opened the windows; he did not open the doors. 5. The man has not bought the house. 6. Is the drawer open or closed? 7. I did not open the drawer; it is closed. 8. The boy is very kind; he wrote a letter to the little girl who is ill. 9. I did not read the letter. 10. We did not find the books in the drawer.

LA PETITE SOURNOISE

«Minet, Minet, disait Louise,
  Viens jouer avec moi;
 Viens, j'ai dans mon panier, pour toi,
  Une friandise.»
Minet, tout confiant, s'approche, le dos **rond**;
  Il se frotte, et puis fait ronron . . .
Elle, sournoisement, lui tire la moustache,
  Minet se fâche:
«Ce n'est pas ça, dit-il, que tu m'avais promis;
Adieu.» Faire du mal aux animaux, c'est lâche,
  Et les sournois n'ont pas d'amis.

ALEXIS NOËL

Questionnaire

A. 1. Qui voyez-vous dans la gravure? 2. Comment s'appelle cette petite fille? 3. Quel animal voyez-vous dans la gravure?

4. Le chat est-il un animal domestique? 5. Nommez-moi un autre animal domestique. 6. Qu'y a-t-il à côté de Louise?

7. Comment Louise appelle-t-elle le chat? 8. Que lui dit-elle? 9. Qu'est-ce que c'est qu'une friandise? 10. Les bonbons sont-ils une friandise? 11. Nommez-moi une autre friandise. 12. Pour quel animal le rat est-il une friandise? 13. Quel autre animal est une friandise pour le chat? 14. Minet s'approche-t-il quand Louise l'appelle? Pourquoi s'approche-t-il?

B. 1. Minet est-il confiant? 2. Avait-il raison d'être confiant? 3. Louise lui donne-t-elle une friandise? 4. Comment appelle-t-on une personne comme Louise qui promet quelque chose de bon et qui fait quelque chose de mal? 5. Aimez-vous les sournois? 6. Les sournois ont-ils des amis? 7. Minet est-il content quand Louise lui tire la moustache? 8. Que dit-il quand il se fâche? 9. Je pense que Minet a griffé Louise; et vous? 10. Pourquoi pensez-vous que Minet a griffé Louise? 11. Louise est sournoise; quel autre défaut a-t-elle? 12. Pourquoi dit-on que Louise est lâche?

HUITIÈME LEÇON

Avez-vous vu *mon* père, *ma* mère, *mes* frères et *mes* sœurs?
Did you see my father, mother, brothers, and sisters?

J'ai vu *votre* père, *votre* mère, *vos* frères et *vos* sœurs. I saw your father, mother, brothers, and sisters.

Il a perdu *son* crayon et *sa* plume. He lost his pencil and pen.
Elle a perdu *son* crayon et *sa* plume. She lost her pencil and pen.

HUITIÈME LEÇON

Les adjectifs possessifs sont:

SINGULIER		PLURIEL	
Masculin	*Féminin*	*M. et F.*	
mon	ma	mes	my
ton	ta	tes	thy
son	sa	ses	his
son	sa	ses	her
notre	notre	nos	our
votre	votre	vos	your
leur	leur	leurs	their

L'adjectif possessif s'accorde en genre et en nombre avec le nom qu'il détermine.

Déterminez les noms suivants par tous les adjectifs possessifs. Exemple: mon père, ton père, son père, son père, notre père, votre père, leur père.

1. mère 2. frère 3. sœur 4. amis 5. oncles 6. tantes 7. maison 8. tiroir 9. tableau 10. fenêtres.

aujourd'hui, to-day **hier,** yesterday
mais, but **hier soir,** last evening

Conjuguez les phrases suivantes:

1. Je n'ai pas écrit ma lettre aujourd'hui.
2. Je n'ai pas perdu mon livre hier.
3. Je n'ai pas acheté ma plume hier soir.
4. Je n'ai pas trouvé mes crayons hier.
5. J'ai écrit à mon oncle hier soir.
6. J'ai écrit à ma tante aujourd'hui.
7. J'ai vu mes amis hier soir.

Lisez les phrases suivantes et analysez les adjectifs possessifs:

1. Avez-vous vu ma plume? 2. Non, monsieur, je n'ai pas vu votre plume. 3. Votre frère a-t-il acheté leur tableau? 4. Qui a vu son livre? 5. Mon frère a perdu son livre aujourd'hui, et ma sœur a perdu son livre hier. 6. Votre oncle a-t-il acheté sa maison aujourd'hui ou hier? 7. Leurs oncles sont-ils jeunes? 8. Avez-vous ouvert vos fenêtres? 9. Qui est malade, votre père ou votre mère? 10. Mon père n'est pas malade, mais ma mère est très malade aujourd'hui.

1. My sister has closed her door. 2. My brother has closed his door. 3. Are your books and pencils in the drawer? 4. Did the boy lose his books yesterday or to-day? 5. He lost his books last evening. 6. The men have not seen their children to-day. 7. Have the men opened or closed their windows? 8. Who bought his house? 9. What have you written to your sister? 10. His boys are tall, but his daughters are short.

NEUVIÈME LEÇON

gai, cheerful
triste, sad
aimable, pleasant
parce que, because

souvent, often
toujours, always
à la maison, at home
où, where

NEUVIÈME LEÇON

être — *Indicatif présent, forme négative*

je ne suis pas, I am not	nous ne sommes pas
tu n'es pas	vous n'êtes pas
il n'est pas	ils ne sont pas
elle n'est pas	elles ne sont pas

Conjuguez les phrases suivantes:

1. Je ne suis pas triste.
2. Je ne suis pas souvent triste.
3. Je ne suis pas toujours gai.
4. Je ne suis pas aimable aujourd'hui.
5. Je ne suis pas à la maison.
6. Où suis-je?
7. Suis-je toujours gai?
8. Suis-je souvent triste?

Lisez les questions suivantes et répondez-y:

1. Où est votre mère aujourd'hui? 2. Êtes-vous à la maison? 3. Votre petit frère est-il à la maison aujourd'hui? 4. Qui est à la maison aujourd'hui? 5. Votre mère est-elle toujours à la maison? 6. Votre père est-il souvent triste? 7. Votre mère est-elle toujours gaie? 8. Vos oncles sont-ils gais ou tristes? 9. Nos amis sont-ils toujours aimables? 10. Qui est toujours aimable?

1. At home we are always cheerful. 2. My uncle is sad because he is often ill. 3. The children are not sad, because they have a good father

and a good mother who are always pleasant. 4. Our father has some books; they are not very interesting. 5. He read a very good story yesterday. 6. She is not always kind. 7. Their house is not very large, but it is wide. 8. Our windows and doors are very wide; they are not high. 9. Did her father buy the house because it is large and cheerful? 10. I am not often sad. 11. We are not always at home. 12. Where is your mother to-day?

PREMIÈRE DICTÉE

Marie est une petite fille. Elle demeure dans une maison qui est très grande et très haute. Elle demeure avec son père, sa mère, son grand-père, sa grand'mère, ses deux frères et ses deux sœurs. C'est une très grande famille.

Questionnaire

Votre famille est-elle grande? Dans quelle sorte de maison demeurez-vous? Avec qui demeurez-vous?

Écrivez une petite composition sur votre famille.

LA CIGALE ET LA FOURMI

La cigale n'a pas travaillé pendant tout l'été. Elle a chanté au lieu de travailler. Et quand l'hiver est venu, elle n'avait rien à manger. Elle n'avait pas une seule petite mouche. Elle n'avait pas un seul petit ver, — absolument rien. Elle était très pauvre et elle avait grand'faim.

La fourmi, sa voisine, était très riche et elle avait beaucoup à manger. C'est parce qu'elle travaillait toujours. Malheureusement la fourmi a un grand défaut: elle n'est pas généreuse, elle n'aime pas à prêter.

La pauvre cigale qui meurt de faim, court chez la fourmi, sa voisine, et lui dit:

— Chère Madame, j'ai grand'faim et je n'ai rien à manger. Voulez-vous me prêter quelques grains pour vivre jusqu'à l'été prochain? Je vous paierai cet été, foi d'animal.

— Comment! vous n'avez rien à manger! vous n'avez ni mouches ni vers! Que faisiez-vous donc au temps chaud, Mademoiselle?

— Nuit et jour je chantais, Madame.

— Vous chantiez! j'en suis fort aise. Eh bien, dansez maintenant.

D'APRÈS LA FONTAINE

Questionnaire

A. 1. La cigale qu'a-t-elle fait pendant tout l'été? 2. Elle a chanté au lieu de quoi faire? 3. Quelle en a été la conséquence? 4. Les cigales que mangent-elles? 5. La cigale n'avait-elle pas quelques mouches à manger? 6. N'avait-elle pas quelques vers à manger? 7. Pourquoi n'a-t-elle pas acheté des mouches et des vers? 8. La cigale avait-elle une amie ou une voisine à qui demander quelque chose à manger?

B. 1. Qui était la voisine de la cigale? 2. La fourmi était-elle pauvre? 3. Avait-elle quelque chose à manger? 4. Pourquoi la fourmi était-elle riche? 5. La fourmi a-t-elle chanté pendant tout l'été? 6. La fourmi est-elle parfaite? 7. Quel est son défaut? 8. La cigale aime-t-elle à demander quelque chose à la fourmi? 9. Pourquoi court-elle chez la fourmi alors? 10. Que dit-elle à la fourmi? 11. La fourmi est-elle surprise? 12. Comment savez-vous que la fourmi est surprise? 13. Quelle question fait-elle à la pauvre cigale? 14. Que répond la cigale? 15. Que dit la fourmi alors à la cigale? 16. La fourmi est-elle généreuse ou cruelle quand elle dit: «Eh bien, dansez maintenant»? 17. Est-ce une bonne leçon pour la cigale? 18. Qui aimez-vous le mieux, la cigale ou la fourmi? (*J'aime mieux, etc.*)

DIXIÈME LEÇON

le livre de Jean, John's book
la montre de mon père, my father's watch
la lettre de votre tante, your aunt's letter
les enfants de leur oncle, their uncle's children

Pour marquer la possession, on se sert de la préposition **de** quand en anglais on se sert de **'s.**

la poche, the pocket	**la règle,** the ruler
le mouchoir, the handkerchief	**j'ai mis,** I have put, put, did put
le canif, the penknife	**j'ai pris,** I have taken, took, did take
la chambre, the room	**à l'école,** at school
la robe, the dress	**sur,** on
la cravate, the necktie	

Dans les phrases suivantes déterminez le dernier nom par les adjectifs possessifs. Exemple: la montre de **mon** frère, la montre de **ton** frère, la montre de **son** frère, *etc.*

1. la poche de —— sœur
2. le mouchoir de —— père

3. les canifs de —— frères
4. la montre de —— mère
5. la chambre de —— sœurs
6. la règle de —— oncle
7. la robe de —— tante
8. la cravate de —— petit frère

Conjuguez les phrases suivantes:

1. Où ai-je mis la montre de mon père?
2. J'ai mis mon canif dans ma poche.
3. Où ai-je mis le mouchoir de ma mère?
4. Suis-je à l'école aujourd'hui?
5. J'ai pris la règle de mon oncle.

Lisez les phrases suivantes et répondez-y:

1. Avez-vous vu le mouchoir de votre sœur? 2. Où est-il? 3. Avez-vous mis le canif de votre frère dans votre poche? 4. Qui a pris la montre de mon père? 5. Avez-vous vu la règle de votre oncle? 6. Votre sœur a-t-elle pris la cravate de son frère? 7. A-t-elle mis sa cravate dans le tiroir? 8. Votre sœur a-t-elle acheté une robe? 9. Sa robe est-elle sur la chaise? 10. Votre mère est-elle à l'école ou à la maison? 11. Où êtes-vous aujourd'hui? 12. Qui a pris le canif de notre père?

1. Did you find your brother's penknife? 2. He lost his penknife at school yesterday. 3. Did you take our mother's handkerchiefs? 4. Yes, they

are on the table in my sister's room. 5. Who closed the windows in your aunt's room? 6. Who put my sister's dresses in the drawer? 7. Did your brother buy the necktie yesterday? 8. Is your uncle's friend pleasant? 9. Yes, he is always pleasant and cheerful. 10. His father and mother are often sad because they are very poor.

ONZIÈME LEÇON

Je suis allé à l'école. I went to school.
Ma mère est restée à la maison. My mother remained at home.
Les petits garçons sont tombés. The little boys fell.
Vos sœurs sont sorties. Your sisters went out.

Les participes passés conjugués avec être sont:

- **allé,** gone
- **parti,** gone away, left
- **sorti,** gone out
- **venu,** come
- **devenu,** become
- **revenu,** come back
- **retourné,** gone back
- **arrivé,** arrived
- **entré,** entered
- **resté,** remained
- **tombé,** fallen
- **né,** born
- **mort,** died

aller — *Passé indéfini*

(I have gone, I went, did go)

je suis allé(e)	nous sommes allé(e)s
tu es allé(e)	vous êtes allé(e)s
il est allé	ils sont allés
elle est allée	elles sont allées

Le participe passé conjugué avec être s'accorde avec le sujet.

Conjuguez les phrases suivantes:

1. Je suis venu(e).
2. Je suis entré(e).
3. Je suis sorti(e).
4. Je suis resté(e).
5. Je suis arrivé(e).
6. Je suis né(e).
7. Je suis tombé(e).
8. Je suis revenu(e).
9. Je suis retourné(e).
10. Je suis parti(e).

Les hommes sont venus. **Venus** est un participe passé conjugué avec **être,** par conséquent il s'accorde avec le sujet. Le sujet est **hommes. Hommes** est masculin pluriel, par conséquent **venus** est masculin pluriel.

Analysez les participes passés dans les phrases suivantes et corrigez les fautes:

1. Mes frères sont sorti. 2. Nos sœurs sont parti hier soir. 3. La jeune fille est arrivé aujourd'hui. 4. L'oncle de mon ami est tombé. 5. La sœur de votre ami est mort.

1. Have the children come? 2. No, they have remained at home. 3. Who has come to school to-day? 4. The boys have come to school to-day. 5. Have your sisters gone to Paris? 6. Yes, they went away yesterday. 7. Who died in your uncle's house? 8. His friend's daughter died yesterday. 9. Where were you born? 10. What did you put

in your pocket? 11. I put my handkerchief and my penknife in my pocket. 12. Who put the dresses and the neckties in our mother's room?

DEUXIÈME DICTÉE

La grand'mère de Marie est très âgée, mais elle est toujours très gaie. Marie aime beaucoup sa grand'mère qui lui raconte souvent des histoires très intéressantes. Elle lui parle du temps passé quand elle était jeune.

Questionnaire

Avez-vous une grand'mère? Est-elle gaie ou triste? Est-elle jeune? Aimez-vous votre grand'mère? Pourquoi l'aimez-vous? Raconte-t-elle des histoires? Parle-t-elle du présent ou du passé?

Écrivez une petite composition sur votre grand'mère, ou sur la grand'mère d'un de vos amis.

LE RENARD ET LA CIGOGNE

Un jour le renard invite la cigogne à dîner. Il lui dit:

— Chère Mademoiselle, voulez-vous dîner avec moi ce soir?

— Avec le plus grand plaisir, Monsieur, répond la cigogne.

Le renard prépare tout de suite le dîner. Comme il est très chiche, il ne prépare pas grand'chose, — rien qu'une soupe. Il n'en prépare pas beaucoup non plus. Et comme il a toujours grand'faim, il voudrait manger le tout.

Il sert donc la soupe dans une assiette plate. La pauvre cigogne ne peut rien attraper avec son long bec, mais le renard lape le tout en un moment avec son gros museau.

La cigogne n'est pas du tout contente, comme vous le pensez bien. Elle voudrait se venger et elle voudrait se venger tout de suite. Arrivée à la maison, elle écrit au renard: «Cher Monsieur, voulez-vous me faire le plaisir de dîner avec moi demain soir?»

Le renard qui sait que la cigogne est généreuse et qu'elle est bonne cuisinière, est très content. Il répond tout de suite: «Chère Mademoiselle, j'accepte votre aimable invitation avec le plus grand plaisir.»

La cigogne qui n'est pas chiche prépare un gros morceau de viande qu'elle coupe en de très petits morceaux. Comme elle est bonne cuisinière, sa viande est cuite à point.

A l'heure dite, le renard arrive avec grand appétit. L'odeur de la viande qui est délicieuse augmente encore son appétit. Mais quel désappointement quand il trouve que la cigogne a servi la viande dans un vase à long col!

Le bec de la cigogne y entre facilement, mais le museau du renard est bien trop gros.

Le renard, honteux et confus, retourne tristement chez lui.

Trompeurs, attendez-vous à la pareille.

D'APRÈS LA FONTAINE

Questionnaire

A. 1. Combien de pattes le renard a-t-il? 2. Comment s'appelle un animal qui a quatre pattes? 3. La cigogne est-elle un quadrupède? 4. Pourquoi pas? 5. Quelle sorte d'animal est la cigogne? 6. Quelle invitation le renard fait-il un jour à la cigogne? 7. Comment lui fait-il cette invitation? 8. La cigogne a-t-elle de belles manières? 9. Comment montre-t-elle qu'elle a de belles manières?

B. 1. Que fait le renard tout de suite? 2. Prépare-t-il beaucoup de choses pour le dîner? 3. Pourquoi pas? 4. Que prépare-t-il? 5. En prépare-t-il beaucoup? 6. N'a-t-il pas bon appétit? 7. Dans quoi le renard sert-il la soupe? 8. Pourquoi le renard sert-il la soupe dans une assiette plate? 9. La cigogne mange-t-elle à son appétit? 10. Pourquoi pas? 11. Le renard mange-t-il à son appétit? 12. Le renard a-t-il des défauts? 13. Quels sont ses défauts?

C. 1. La cigogne est-elle contente?   2. Que voudrait-elle faire?   3. Quand voudrait-elle se venger?   4. Arrivée à la maison, que fait-elle?   5. Qu'est-ce qu'elle écrit au renard?

D. 1. Le renard accepte-t-il l'invitation de la cigogne?   2. Que répond-il à la cigogne?   3. Quand lui répond-il?   4. Pourquoi accepte-t-il l'invitation de la cigogne tout de suite?   5. Quelles sont les qualités de la cigogne?   6. Quel est le contraire de généreux?   7. La cigogne est-elle chiche?   8. Que prépare-t-elle pour le dîner?   9. La viande est-elle bien cuite?   10. Pourquoi la viande de la cigogne est-elle cuite à point?

E. 1. Quand le renard arrive-t-il chez la cigogne?   2. A-t-il faim?   3. Qu'est-ce qui augmente encore son appétit?   4. Pourquoi la viande de la cigogne augmente-t-elle l'appétit?   5. Dans quoi la cigogne sert-elle la viande?   6. Le renard en est-il content?   7. Pourquoi pas?   8. La cigogne mange-t-elle bien?   9. Quels sont les sentiments du renard quand il retourne chez lui?   10. Quelle est la morale de cette fable?

DOUZIÈME LEÇON

Les nombres cardinaux sont:

1, un, une	11, onze
2, deux	12, douze
3, trois	13, treize
4, quatre	14, quatorze
5, cinq	15, quinze
6, six	16, seize
7, sept	17, dix-sept
8, huit	18, dix-huit
9, neuf	19, dix-neuf
10, dix	20, vingt

21, vingt et un
22, vingt-deux
23, vingt-trois
24, vingt-quatre
25, vingt-cinq

26, vingt-six
27, vingt-sept
28, vingt-huit
29, vingt-neuf
30, trente

il y a { there is / there are }
y a-t-il? { is there? / are there? }
un élève, a pupil

une classe, a class
une salle de classe, a classroom
combien de classes? how many classes?
combien d'élèves? how many pupils?
combien font? how many are?

Lisez les phrases suivantes et répondez-y:

1. Comptez de 1 à 20.
2. Comptez de 20 à 30.
3. Comptez par 2 jusqu'à 30.
4. Comptez par 3 jusqu'à 30.
5. Comptez par 4 jusqu'à 32.
6. Comptez par 5 jusqu'à 35.

Répondez aux questions suivantes:

1. Combien font 15 et 15? 2. Combien font 4 fois 7? 3. Combien font 2 fois 9? 4. Combien d'élèves y a-t-il dans la salle de classe? 5. Combien de portes y a-t-il dans la salle de classe? 6. Suis-je un élève? 7. Êtes-vous un élève? 8. Combien de fenêtres y a-t-il dans votre chambre? 9. Combien de tableaux y a-t-il dans la salle de classe?

1. How many boys are there in the classroom?
2. Are there fifteen boys in your brother's class?
3. Are there sixteen or seventeen girls in your sister's class? 4. How many classrooms are there in your school? 5. Count the pupils. 6. Have the pupils come into the classroom? 7. How many doors and windows are there in your friend's classroom? 8. Is your brother's penknife in the drawer or on the table? 9. Did you take my handkerchief? No, but there is a handkerchief on the chair. 10. Have your brothers gone out or have they remained at home? 11. Fourteen and seven are twenty-one. 12. Three times nine are twenty-seven.

TREIZIÈME LEÇON

40, quarante	41, quarante et un
50, cinquante	51, cinquante et un
60, soixante	61, soixante et un
70, soixante-dix	71, soixante et onze
80, quatre-vingts	81, quatre-vingt-un
90, quatre-vingt-dix	91, quatre-vingt-onze
100, cent	1000, mille
200, deux cents	2000, deux mille

Le trait d'union lie les différentes parties des nombres, de dix-sept à quatre-vingt-dix-neuf, à l'exception de 21, 31, 41, 51, 61 et 71.

Dans ces nombres, 21, 31, 41, 51, 61 et 71, on se sert de la conjonction **et** sans trait d'union.

quatre-vingts élèves   **quatre-vingt-dix** élèves
trois cents hommes   **trois cent cinq** hommes

Vingt et **cent** sont invariables quand ils sont suivis d'un nombre.

mille femmes
quatre mille femmes

Mille est toujours invariable.

Lisez les phrases suivantes et répondez-y:

1. Comptez de 40 à 50.
2. Comptez de 50 à 60.
3. Comptez de 60 à 70.
4. Comptez de 70 à 80.
5. Comptez de 80 à 90.
6. Comptez de 90 à 100.
7. Comptez par 10 jusqu'à 100.
8. Comptez par 10 en commençant par 1.
9. Comptez par 10 en commençant par 2, par 3, *etc.*
10. Comptez par 20.

1. 66, 76, 86, 96. 2. 64, 74, 84, 94. 3. 61, 71, 81, 91. 4. 67, 77, 87, 97. 5. 62, 72, 82, 92. 6. 21, 31, 42, 56, 72. 7. 184, 294, 355. 8. 520, 640, 780. 9. 1780, 3699. 10. 1500 and 1605 are 3105. 11. There are one hundred books in my uncle's house. 12. Are there one thousand pupils in your school? 13. Did your sister remain at

home to-day because your mother is ill?   14. We came to school with your brother's friend.

TROISIÈME DICTÉE

La rue où demeure Marie est très longue. Elle est large aussi mais elle ne le paraît pas. Elle ne le paraît pas parce que les maisons sont si hautes. Les maisons ont six ou sept étages. Il y a beaucoup de familles dans chaque maison parce qu'il y a quatre appartements à chaque étage.

Questionnaire

Dans quelle sorte de rue demeurez-vous? Votre rue paraît-elle large? Pourquoi ne paraît-elle pas large? Combien d'étages a votre maison? Combien d'appartements y a-t-il à chaque étage? Combien de familles y a-t-il dans votre maison?

Écrivez une petite composition sur la rue où vous demeurez.

LE JEU

Si Jean devient un grand garçon
C'est qu'il fait beaucoup d'exercice.
Aussitôt qu'il sait sa leçon,
Il sort, il saute, il court, il glisse;
Et puis,
Sans barboter autour du puits,
Il rentre en prenant bien garde aux voitures.
Il aime le ballon plus que les confitures;
Il joue à la marelle, à cache-cache, au fouet;
Il se fait de tout un jouet.
Aussi, comme il est adroit et robuste!...
Et ses parents sont fiers de lui: ce n'est que juste.

ALEXIS NOËL

Questionnaire

1. Jean reste-t-il petit garçon? 2. Qu'est-ce qui le fait grandir? 3. Reste-t-il à la maison tout le temps? 4. Quand sort-il? 5. Quels exercices fait-il? 6. Aime-t-il les confitures? 7. Qu'est-ce qu'il aime plus que les confitures? 8. A quels jeux joue-t-il? 9. Parce qu'il fait tant d'exercices comment devient-il? 10. Ses parents sont-ils contents de Jean? 11. Jean rentre-t-il seul de l'école? 12. Pourquoi la maman de Jean permet-elle que Jean rentre seul de l'école? 13. Quand Jean arrive de l'école est-il sale ou propre? 14. Pourquoi n'est-il pas sale? 15. Les garçons aiment-ils à barboter autour d'un puits? 16. Quand vous rentrez de l'école prenez-vous garde aux voitures? 17. Quand vous rentrez de l'école prenez-vous garde aux automobiles?

QUATORZIÈME LEÇON

Quelle heure est-il? What time is it?
Il est une heure. It is one o'clock.
Il est une heure cinq. It is five minutes past one.
Il est une heure dix. It is ten minutes past one.
Il est une heure et quart. It is quarter past one.
Il est une heure vingt. It is twenty minutes past one.
Il est une heure vingt-cinq. It is twenty-five minutes past one.
Il est une heure et demie. It is half past one.
Il est deux heures moins vingt-cinq. It is twenty-five minutes to two.
Il est deux heures moins vingt. It is twenty minutes to two.
Il est deux heures moins le quart. It is quarter to two.
Il est deux heures moins dix. It is ten minutes to two.
Il est deux heures moins cinq. It is five minutes to two.
Il est deux heures. It is two o'clock.
Il est midi. It is twelve o'clock (noon).
Il est minuit. It is twelve o'clock (midnight).

une seconde, a second
une minute, a minute
une heure, an hour
une semaine, a week
un jour, a day
un mois, a month
un an, a year
déjà, already

Dites l'heure à des intervalles de cinq minutes:
1. de deux heures à trois heures; 2. de trois heures à quatre heures; 3. de onze heures à midi; 4. de midi à une heure.

Répondez aux questions suivantes:

1. Combien de secondes font une minute? 2. Combien de minutes font une heure? 3. Combien d'heures font un jour? 4. Combien de jours font

une semaine? 5. Combien de jours font un mois?
6. Combien de jours font un an? 7. Combien de semaines font un mois? 8. Combien de semaines font un an? 9. Combien de mois font un an?

1. It is already half past six. 2. It is already quarter to nine. 3. It is already twenty-eight minutes past twelve. 4. No, it is twenty-eight minutes to twelve. 5. What time is it? 6. At what time do you go (*allez-vous*) to school? 7. At what time do you go home? 8. How many minutes are there in an hour? 9. How many hours are you in school? 10. How many months are there in a year? 11. There are 365 or 366 days in a year. 12. There are 28, 29, 30, or 31 days in a month. 13. How many pupils are there in your brother's class? 14. Have your brothers already gone home? 15. At what time did you enter the classroom to-day?

QUINZIÈME LEÇON

trouver, to find
chercher, to look for
regarder, to look at
fermer, to close
demeurer, to live

remarquer, to notice
excuser, to excuse
gronder, to scold
louer, to praise
étudier, to study

après, after

La terminaison de l'infinitif présent de la première conjugaison est **er**.

QUINZIÈME LEÇON

trouver — *Indicatif présent*

Forme affirmative

(I find, am finding, do find)

je trouv*e* nous trouv*ons*
tu trouv*es* vous trouv*ez*
il trouv*e* ils trouv*ent*

Forme négative

je ne trouv*e* pas nous ne trouv*ons* pas
tu ne trouv*es* pas vous ne trouv*ez* pas
il ne trouv*e* pas ils ne trouv*ent* pas

Forme interrogative

est-ce que je trouv*e*? trouv*ons*-nous?
trouv*es*-tu? trouv*ez*-vous?
trouv*e*-t-il? trouv*ent*-ils?

Les terminaisons de l'indicatif présent de la première conjugaison sont:

e	ons
es	ez
e	ent

Récitez l'indicatif présent des verbes suivants à la forme affirmative:

1. chercher
2. fermer
3. remarquer
4. gronder
5. étudier
6. regarder

Récitez l'indicatif présent des verbes suivants à la forme négative:

1. demeurer   3. louer   5. gronder
2. excuser   4. regarder   6. étudier

Récitez l'indicatif présent des verbes suivants à la forme interrogative:

1. chercher   3. excuser   5. remarquer
2. regarder   4. étudier   6. fermer

Lisez les phrases suivantes et répondez-y:

1. Que regardez-vous? 2. Qui regardez-vous? 3. Que cherchez-vous? 4. Qui cherchez-vous? 5. Qui regarde-t-il? 6. Qui cherche-t-il? 7. Excusez-vous le méchant garçon? 8. Pourquoi n'excusez-vous pas la pauvre petite fille? 9. Ne remarquez-vous pas qu'elle est malade? 10. Qui louez-vous? 11. Pourquoi louons-nous les enfants? 12. Pourquoi grondent-ils les élèves?

1. Do not excuse the little boy, because he is naughty. 2. We excuse the other little boy, because he is ill. 3. We praise the pupils who study their lessons. 4. Do you scold the children who do not study? 5. Whom are they looking at? 6. Whom are they looking for? 7. Are you looking for your pen or your pencil? 8. Do they live in a small or in a large house? 9. Do you study your lessons at school or at home? 10. Why did she remain in school after two o'clock? 11. At

what time did you return home? 12. Yesterday we returned home at quarter to three. 13. Did your brothers arrive at school at ten minutes to eight or at ten minutes after eight?

QUATRIÈME DICTÉE

L'appartement où demeure Marie est très grand et très beau. Il faut un grand appartement pour une grande famille et vous savez qu'il y a neuf personnes dans la famille de monsieur Lesage, père de Marie. L'appartement se compose de neuf pièces. Il y a le salon, la salle à manger, la cuisine, quatre grandes chambres à coucher pour la famille, une petite chambre pour la bonne et une salle de bain. C'est un très grand appartement, n'est-ce pas?

Questionnaire

Demeurez-vous dans un appartement? De combien de pièces votre appartement se compose-t-il? Quelles sont ces pièces? Comment est votre appartement?

Écrivez une petite composition sur l'appartement où vous demeurez.

LE LION ET LE RAT

Un jour un rat sort de terre assez à l'étourdie, c'est-à-dire qu'il sort de terre sans regarder d'abord s'il y a quelque danger à sortir. Cette fois il y a du danger. Tout près du trou il y a un lion, grand et fort.

Le lion lève sa grosse patte pour écraser le petit rat quand celui-ci lui dit:

— Mon bon lion, je vous en prie, ne me faites pas de mal. Je suis si petit et si faible et vous êtes si grand et si fort.

Le lion, qui est généreux, a pitié du petit rat et lui dit:

— C'est bon, petit rat, je ne vous mangerai pas; vous pouvez partir, mais ne soyez pas si étourdi une autre fois.

Le petit rat remercie le lion de tout son cœur et part.

Quelque temps après, le petit rat entend rugir un lion. Il reconnaît la voix du lion et il sait que son ami est malheureux. Il sort vite de son trou et il voit le lion dans un grand filet.

— Pourquoi rugissez-vous, mon bon lion?

— Je rugis parce que je ne puis pas sortir de ce filet.

—Attendez un instant, je vous aiderai.

Et le petit rat ronge le filet avec ses petites dents pointues. En quelques minutes le lion est libre.

C'est lui maintenant qui remercie le petit rat de tout son cœur.

Il faut, autant qu'on peut, obliger tout le monde. On a souvent besoin d'un plus petit que soi.

D'APRÈS LA FONTAINE

Questionnaire

A. 1. Où demeure le rat dans cette histoire? 2. Un jour que fait-il? 3. Comment sort-il de terre? 4. Que voulez-vous dire par: « il sort de terre *à l'étourdie* »? 5. Y a-t-il du danger à sortir de terre cette fois-ci? 6. Quel est le danger? 7. Comment est le lion? 8. Où est-il?

B. 1. Que fait le lion quand il voit le rat? 2. Combien de pattes a le lion? 3. Quelle sorte d'animal est-il? 4. Et le rat, quelle sorte d'animal est-il? 5. Et pourquoi? 6. Que dit le petit rat quand le lion lève sa grosse patte? 7. Le lion a-t-il bon cœur? 8. Que dit-il au petit rat? 9. Quel conseil donne-t-il au petit rat? 10. Le petit rat est-il poli? 11. Êtes-vous étourdi quelquefois? 12. Si vous êtes étourdi, écrivez-vous bien vos exercices? 13. Quand vous rentrez de l'école, êtes-vous étourdi ou prenez-vous garde aux voitures?

C. 1. Quel bruit le petit rat entend-il quelque temps après? 2. Quel lion entend-il rugir? 3. Comment sait-il que c'est son ami qui rugit? 4. Que sait-il encore quand il entend rugir son ami? 5. Le petit rat est-il égoïste? 6. Que voit-il quand il

sort de son trou? 7. Le rat que demande-t-il à son grand ami?
8. Que répond le lion? 9. Qu'est-ce qui montre que le petit
rat a du courage et de l'intelligence? 10. Que fait le rat?
11. Avec quoi ronge-t-il le filet? 12. Le lion est-il encore
une fois heureux? 13. Est-il reconnaissant et poli? 14.
Quelle est la morale de cette fable? 15. Aimez-vous à obliger
tout le monde? 16. Avez-vous besoin de votre mère? 17.
Avez-vous besoin de votre petit frère? 18. Avez-vous besoin
d'une plume?

SEIZIÈME LEÇON

Il me gronde toujours. He always scolds me.
Vous gronde-t-il toujours? Does he always scold you?
Pourquoi nous gronde-t-elle? Why does she scold us?
Je ne la regarde pas. I am not looking at her.
Je les regarde. I am looking at them.

Les pronoms qui s'emploient comme régimes directs
des verbes sont:

me, me	**nous,** us
te, thee	**vous,** you
le, him, it	**les,** them, *m*.
la, her, it	**les,** them, *f*.

Ces pronoms se placent généralement devant le
verbe.

il *me* loue, he praises me
il *te* loue, he praises thee
il *le* loue, he praises him
il *la* loue, he praises her
ce matin, this morning
hier matin, yesterday morning
quand, when

il *nous* loue, he praises us
il *vous* loue, he praises you
il *les* loue, he praises them, *m*.
il *les* loue, he praises them, *f*.
voici, here is, here are; behold
voilà, there is, there are; behold

SEIZIÈME LEÇON

Employez tous ces pronoms comme régimes directs des verbes dans les phrases suivantes. Exemple: il **me** remarque, il **te** remarque, il **le** remarque, il **la** remarque, *etc.*

1. Il cherche.
2. Il regarde.
3. Elle excuse ce matin.
4. Elle remarque.
5. Ils grondent ce matin.
6. Ils ne grondent pas.
7. Ils ne louent pas.
8. Cherche-t-il?
9. Regarde-t-elle?
10. Excuse-t-elle?

Employez ces pronoms (a) avec **voici,** *(b) avec* **voilà.**
Lisez les phrases suivantes et répondez-y:

1. Qui vous gronde? 2. Pourquoi votre mère vous gronde-t-elle? 3. Qui le loue? 4. Quand son père le loue-t-il? 5. Qui nous regarde? 6. Pourquoi nous regardez-vous? 7. Les excusez-vous ce matin? 8. Pourquoi les excusez-vous ce matin? 9. Pourquoi les avez-vous excusés hier matin? 10. Pourquoi la cherchez-vous?

1. We are scolding them. 2. I do not praise him. 3. I am praising her. 4. He is noticing us. 5. They are looking at you. 6. Are you looking for me? 7. Why are you looking for her? 8. Why do you excuse her this morning? 9. Where are my books? Here they are. 10. Is he looking for his pen? There it is on his desk. 11. At what time do you study your lessons? 12. I study them from three to five o'clock.

13. Where do you study them? 14. I study them in my mother's room. 15. When did your friends leave for Paris? 16. They left this morning.

DIX-SEPTIÈME LEÇON

Voici son mouchoir et le vôtre. Here are his handkerchief and yours.
J'ai vu votre montre et la sienne. I saw your watch and his.
Voilà mes livres; où sont les vôtres? There are my books: where are yours?

Les pronoms possessifs sont:

Singulier		Pluriel		
Masculin	*Féminin*	*Masculin*	*Féminin*	
le mien	la mienne	les miens	les miennes	mine
le tien	la tienne	les tiens	les tiennes	thine
le sien	la sienne	les siens	les siennes	his
le sien	la sienne	les siens	les siennes	hers
le nôtre	la nôtre	les nôtres	les nôtres	ours
le vôtre	la vôtre	les vôtres	les vôtres	yours
le leur	la leur	les leurs	les leurs	theirs

Le pronom possessif s'accorde en genre et en nombre avec le nom qu'il représente.

un cahier, a notebook
un cadeau, a present
une bague, a ring
une fleur, a flower
pas encore, not yet

un neveu, a nephew
une nièce, a niece
un cousin ⎫
une cousine ⎭ a cousin
donner, to give

Récitez les parties de phrases qui suivent en remplaçant le tiret par les pronoms possessifs. Exemple: son canif et **le mien,** son canif et **le tien,** son canif et **le sien,** son canif et **le sien,** son canif et **le nôtre,** *etc.*

1. sa bague et ——
2. ses bagues et ——
3. son cadeau et ——
4. son cahier et ——
5. sa nièce et ——
6. ses cousins et ——
7. ses cousines et ——
8. son neveu et ——
9. ses fleurs et ——
10. ses cahiers et ——

Conjuguez:

    1. Je ne suis pas encore parti.
    2. Je ne suis pas encore retourné.

Analysez les pronoms possessifs dans les phrases suivantes:

1. J'ai vu le cadeau de mon neveu et le vôtre. 2. Cherchez-vous votre bague ou la sienne? 3. J'ai écrit la leçon dans votre cahier et dans le mien. 4. Nous avons vu vos fleurs et les siennes. 5. Votre neveu et le mien sont allés à Paris. 6. J'ai loué votre nièce et la mienne.

1. Here is my notebook and there is yours. 2. Where is his? Here it is. 3. Where is hers? There it is. 4. Did you give mine to your cousin? 5. There is your ring; where is hers? Here it is. 6. Did you buy the flowers for your cousin or for your niece? 7. We bought a present for your nephew. There it is. 8. Who saw my sister's note-

book? 9. I put it with mine in your drawer. 10. Did you see your cousin's friend yesterday? 11. No, I have not yet seen him. 12. Did you give my notebook to my brother this morning? 13. No, I gave it to your sister. 14. Have your niece and nephew gone out this morning? 15. Yes, they went out at twenty minutes past nine and they have not yet returned.

CINQUIÈME DICTÉE

La pièce principale de l'appartement de monsieur Lesage est la salle à manger. C'est la plus belle et la plus claire. Il y a deux grandes fenêtres dans la salle à manger. Au milieu de la salle il y a une grande table ronde. D'un côté il y a un grand buffet et autour de la salle il y a dix chaises et deux fauteuils. Un fauteuil est pour la grand'mère et l'autre est pour le grand-père. C'est dans la salle à manger que la famille prend ses repas et le soir toute la famille travaille autour de la table.

Questionnaire

Quelle est la pièce principale de votre appartement? Cette pièce est-elle claire? Qu'y a-t-il au milieu de la pièce? Quels sont les autres meubles de la pièce? A quoi sert cette salle?

Écrivez une petite composition sur la pièce principale de votre appartement.

DIX-SEPTIÈME LEÇON

LE LABOUREUR ET SES ENFANTS

Un riche laboureur sent qu'il va mourir. Il fait venir ses enfants et il leur parle ainsi:

— Gardez-vous, mes enfants, de vendre la terre que nos parents nous ont laissée. Un trésor est caché dedans. Je ne sais pas la place mais avec un peu de courage vous la trouverez. Remuez votre champ tout de suite après la récolte. Ne laissez nulle place où la main ne passe et repasse.

Le père mort, les fils retournent le champ, — deçà, delà, partout; si bien qu'au bout de l'an, la récolte est bien plus abondante.

Il n'y avait pas d'argent caché dans le champ. Mais le père fut sage

> De leur montrer, avant sa mort,
> Que le travail est un trésor.

D'APRÈS LA FONTAINE

Questionnaire

A. 1. Comment appelle-t-on un homme qui cultive la terre? 2. Les laboureurs sont-ils utiles? 3. Le laboureur dans cette histoire est-il pauvre? 4. Est-il très malade? 5. Quand le laboureur sent qu'il va mourir que fait-il? 6. Que leur dit-il? 7. Pourquoi dit-il à ses enfants: «Gardez-vous de vendre la terre»? 8. Le laboureur sait-il où est le trésor? 9. Nommez moi quelque trésor. 10. Comment les enfants trouveront-ils le trésor quand le père ne sait pas où il est caché? 11. Quel conseil le père leur donne-t-il?

B. 1. Les fils suivent-ils le conseil de leur père? 2. Quand suivent-ils son conseil? 3. Travaillent-ils beaucoup?

4. Trouvent-ils le trésor? 5. Sont-ils contents d'avoir tant travaillé? 6. Pourquoi? 7. En quoi le père fut-il sage?

DIX-HUITIÈME LEÇON

Ce garçon est mon frère.	*Ces* garçons sont mes frères.
Cette jeune fille est ma sœur.	*Ces* jeunes filles sont mes sœurs.
Cet enfant est mon cousin.	*Ces* enfants sont mes cousins.
Cet homme est riche.	*Ces* hommes sont riches.

L'adjectif démonstratif est **ce** ou **cet** pour le masculin singulier, **cette** pour le féminin singulier, et **ces** pour le pluriel.

Singulier		Pluriel
Masculin	*Féminin*	*Masculin et Féminin*
ce / **cet** this, that	**cette,** this, that	**ces,** these, those

Généralement on se sert de **ce** devant un mot masculin singulier, mais par euphonie on se sert de **cet** devant un mot masculin singulier qui commence par une voyelle ou un **h** muet.

Expliquez pourquoi on se sert de **cet** *dans ces phrases:*

1. Voilà cet homme. 2. Louez cet aimable frère. 3. Ne grondez pas cet ami. 4. Regardez cet enfant.

la famille, the family	**un arbre,** a tree
la femme, the wife, the woman	**un habit,** a coat
le fils, the son	**un jardin,** a garden
le voisin, the neighbor, *m.*	**une boîte,** a box
la voisine, the neighbor, *f.*	**joli,** pretty
avec, with	**aimer,** to love, like, be fond of

DIX-HUITIÈME LEÇON

Lisez les noms du vocabulaire mettant l'adjectif démonstratif à la place de l'article devant chaque nom.

Lisez les noms du vocabulaire au pluriel, mettant l'adjectif démonstratif devant chaque nom.

Répondez aux questions suivantes:

1. Qu'y a-t-il dans cette boîte? 2. Cette jolie boîte est-elle sur la table ou dans le tiroir? 3. Où est votre habit? 4. Qui est cette femme? 5. Cette femme a-t-elle une grande famille? 6. Combien de fils cette femme a-t-elle? 7. Avez-vous vu son jardin? 8. Qu'y a-t-il dans son jardin? 9. Aimez-vous ces fleurs? 10. Cet arbre n'est-il pas joli?

1. This man has a large family. 2. He has a wife, two sons, and three daughters. 3. That garden with the high trees is theirs. 4. Did you notice those young trees? No, I did not look at the trees. 5. We look at them often because they are very pretty. 6. That artist thinks (= finds) them very pretty also. 7. This coat is yours. 8. I found it in your classroom. 9. One of those pupils saw it on your chair. 10. He found this box also, with these pens and pencils on your neighbor's chair. 11. It is already ten minutes after one. 12. It is already twenty minutes to two. 13. Yesterday we arrived at home at half past one. 14. It is five o'clock and he has not yet studied his lessons.

DIX-NEUVIÈME LEÇON

1st, premier, première	11th, onzième
2d, deuxième *ou* { second / seconde }	12th, douzième
3d, troisième	13th, treizième
4th, quatrième	14th, quatorzième
5th, cinquième	15th, quinzième
6th, sixième	16th, seizième
7th, septième	17th, dix-septième
8th, huitième	18th, dix-huitième
9th, neuvième	19th, dix-neuvième
10th, dixième	20th, vingtième
21st, vingt et unième	30th, trentième
22d, vingt-deuxième	100th, centième

dernier, dernière, last
la page, the page
la phrase, the sentence
le mot, the word
le paragraphe, the paragraph
le thème, the exercise

assis, seated
debout (*adverbe*), standing
quelquefois, sometimes
maintenant, now
s'il vous plaît, if you please
préparer, to prepare

Récitez:

1. le premier mot, le deuxième mot jusqu'à le vingtième mot.
2. la première page, la deuxième page " la vingtième page.
3. le vingt et unième thème " le trentième thème.
4. le trente et unième paragraphe " le quarantième paragraphe
5. la quarante et unième phrase " la cinquantième phrase.

DIX-NEUVIÈME LEÇON

Conjuguez les phrases suivantes:

1. Je prépare mon thème à l'école.
2. Je récite ma leçon maintenant.
3. J'ai préparé un paragraphe ce matin.
4. Je suis debout maintenant.
5. Je ne suis pas assis maintenant.
6. Suis-je debout ou assis maintenant?

Répondez aux questions suivantes:

1. Quel thème avez-vous préparé pour aujourd'hui? 2. Quel est le premier mot sur cette page? 3. Quel est le dernier mot de ce paragraphe? 4. A quelle page commence la quinzième leçon? 5. Êtes-vous toujours debout dans la salle de classe? 6. Êtes-vous assis ou debout maintenant? 7. Suis-je assis ou debout maintenant? 8. Étudiez-vous une heure quelquefois? 9. Combien de thèmes avez-vous déjà écrits? 10. Quel thème avez-vous écrit pour la dernière leçon de grammaire? 11. Où demeurez-vous?

1. I am looking for a word. 2. Do you not find it? 3. It is on this page. 4. Here it is; the fifth word of the fifteenth lesson. 5. Did you prepare the third paragraph for to-day? 6. We did not prepare it for to-day; we prepared it for yesterday. 7. I prepared my lesson for to-day. 8. Did you prepare yours? 9. Did that boy who is standing prepare

his? 10. Is he the first pupil in (*de*) the class? Who praises him? 11. Is the class seated or standing? 12. Did those two pupils come to school with you this morning? 13. Who scolded you yesterday? 14. My father scolded me because I am the last in (*de*) the class.

SIXIÈME DICTÉE

Le salon de madame Lesage est très joli. Il n'est ni très grand ni très clair. Il y a bien deux fenêtres au salon, mais elles sont moins larges que celles de la salle à manger. Il y a aussi de grands rideaux qui tombent devant les fenêtres et qui assombrissent la pièce. Dans le salon il y a un piano droit, deux fauteuils, six chaises et deux petites tables rondes. Sur chaque table il y a une jolie statue de bronze et sur les murs il y a trois jolis tableaux. Il y a de la musique sur le piano. C'est au salon que les Lesage reçoivent leurs amis.

Questionnaire

Comment est votre salon? Est-il bien clair? Est-il aussi clair que la salle à manger? Pourquoi est-il moins clair que la salle à manger? Quels meubles y a-t-il dans votre salon? Y a-t-il des statues dans votre salon? Où sont-elles? Y a-t-il des tableaux? des livres? A quoi sert votre salon?

Écrivez une petite composition sur votre salon.

LE DISTRAIT

Jean est un bon petit garçon,
Mais il est distrait en diable!
La tête dans ses mains, les coudes sur la table,
Les yeux plongés dans sa leçon,
Vous croyez qu'il travaille?
Non.
Il pense au grenier plein de paille,
Où l'on se culbute si bien,
Il pense à Médor, son gros chien,
Ou peut-être à son chat Moustache,
A la marelle, à cache-cache,

Au cerf-volant qu'on tient au bout d'un fil...
«Jean! deux et deux, combien ça fait-il?»
A cette question du maître,
Jean regarde par la fenêtre
Et se trouble, et ne répond point...
Jean n'aura point de bon point.

Alexis Noël

Questionnaire

A. 1. Jean est-il méchant? 2. A-t-il un défaut? 3. Quel est son défaut? 4. Êtes-vous distrait? 5. Quel est votre défaut? 6. Quand sa mère lui dit: «Jean, étudiez maintenant» pourquoi pense-t-elle qu'il étudie? 7. Travaille-t-il vraiment? 8. A quoi pense-t-il? 9. Pourquoi pense-t-il au grenier? 10. A quels animaux pense-t-il? 11. A quels jeux pense-t-il? 12. Quel jouet tient-on au bout d'un fil? 13. Aimez-vous à jouer au cerf-volant?

B. 1. Quand Jean est en classe, quelle question lui fait le maître? 2. Jean sait-il la réponse? 3. Que fait-il au lieu de répondre? 4. Jean est-il stupide? 5. Pourquoi ne sait-il pas sa leçon? 6. Est-ce un mauvais défaut? 7. Quelle est la punition de Jean?

VINGTIÈME LEÇON

La cravate *du* garçon est bleue. Les cravates *des* garçons sont bleues.

La cravate *de la* petite fille est bleue. Les cravates *des* petites filles sont bleues.

La cravate *de l'*enfant est bleue. Les cravates *des* enfants sont bleues.

J'ai donné un cadeau *au* garçon. Nous avons donné des cadeaux *aux* garçons.

J'ai donné un cadeau à *la* petite fille. Nous avons donné des cadeaux *aux* petites filles.

J'ai donné un cadeau à *l'*enfant. Nous avons donné des cadeaux *aux* enfants.

La préposition **de** se contracte avec l'article **le** en **du**. Elle se contracte aussi avec l'article **les** en **des**.

La préposition **à** se contracte avec l'article **le** en **au**. Elle se contracte aussi avec l'article **les** en **aux**.

le père, the father	**les pères**, the fathers
du père, of (from) the father	**des pères**, of (from) the fathers
au père, to the father	**aux pères**, to the fathers

Déclinez:

1. frère   3. mot   5. sœur   7. habit

2. garçon   4. thème   6. fille   8. artiste

le médecin, the doctor	**la couturière**, the dressmaker
la médecine, the medicine	**la modiste**, the milliner
le médicament, the medicine	**le chapeau**, the hat
l'avocat, the lawyer	**travailler**, to work
le menuisier, the carpenter	**aussi bien que**, as well as

Déclinez les noms du vocabulaire.

Lisez les noms du vocabulaire, mettant l'adjectif démonstratif devant chaque nom.

Récitez l'indicatif présent du verbe **travailler**.

Répondez aux questions suivantes:

1. Cet homme est-il médecin? 2. Son frère est-il avocat? 3. Cherchez-vous un menuisier? 4. Que font les menuisiers? 5. Qui fait les chapeaux?

6. Qui fait les robes? 7. Cette femme est-elle modiste? 8. Cette couturière travaille-t-elle bien? 9. Travaille-t-elle aussi bien que sa sœur? 10. Les modistes font-elles des robes ou des chapeaux?

1. Of the doctor, of the medicine, of the doctors, to the dressmaker. 2. To the dressmakers, to the carpenters, of the carpenter, of the lawyer. 3. To the milliner, of the hat, the doctor's house, the doctor's wife. 4. The woman's hat, the boy's medicine, the child's medicine. 5. Why is the dressmaker looking for the doctor's house? 6. She is looking for it because she has a dress for the doctor's wife. 7. Does the dressmaker work well? 8. Yes, and the milliner, who is her sister, works as well as she. 9. The milliner is very kind; she made a hat for her daughter's friend, who is very poor. 10. The carpenter's son is looking at that boy. 11. Why is he looking at him? 12. Are you looking for the lawyer's son? 13. He has already gone to school. 14. Did you see my handkerchief? There is yours, here is hers, but I have not yet found mine. 15. We went into that garden yesterday and we saw the pretty flowers.

VINGT ET UNIÈME LEÇON

Voici mon parapluie et *celui* de ma sœur. Here is my umbrella and my sister's.

Voici mes parapluies et *ceux* de ma sœur. Here are my umbrellas and my sister's.

VINGT ET UNIÈME LEÇON

Voici ma canne et *celle* **de mon père.** Here is my cane and my father's.

Voici mes cannes et *celles* **de mon père.** Here are my canes and my father's.

Le pronom démonstratif est **celui** pour le masculin singulier, **celle** pour le féminin singulier, **ceux** pour le masculin pluriel, et **celles** pour le féminin pluriel.

	Singulier		Pluriel	
	Masculin	*Féminin*	*Masculin*	*Féminin*
	celui { this / that }	**celle** { this / that }	**ceux** { these / those }	**celles** { these / those }

Le pronom démonstratif s'accorde en genre et en nombre avec le nom qu'il représente.

Mettez un pronom démonstratif à la place de chaque tiret et analysez-le.

1. ma robe et —— de ma mère
2. votre canif et —— de l'avocat
3. nos chapeaux et —— de votre tante
4. nos livres et —— de votre père
5. mes fleurs et —— de votre mère
6. mon habit et —— de mon frère

le parapluie, the umbrella
la canne, the cane
le pupitre, the desk
un encrier, an inkstand
à l'église, at church

laisser, to leave
prêter, to lend
emprunter, to borrow
j'ai rendu { I have given back, gave back, did give back

Conjuguez les phrases suivantes:

1. J'ai emprunté un encrier.
2. J'ai laissé l'encrier sur mon pupitre.
3. Je n'ai pas rendu cet encrier.
4. J'ai prêté mon encrier et celui de mon frère.
5. J'ai emprunté ce parapluie et celui de ma mère.
6. Je n'ai pas laissé ma montre sur le pupitre.
7. Je suis allé à l'église hier matin.
8. Je suis arrivé à l'église à onze heures cinq.

Répondez aux questions suivantes:

1. Où avez-vous laissé votre chapeau et votre parapluie? 2. Avez-vous prêté votre parapluie à la couturière ou à la modiste? 3. A qui est cet habit? Est-il au médecin ou à l'avocat? 4. Pourquoi le menuisier est-il parti? Est-il parti parce que vous l'avez grondé? 5. Avez-vous rendu le parapluie que vous avez emprunté? 6. Pourquoi n'avez-vous pas laissé l'encrier sur le pupitre? 7. Avez-vous acheté cette jolie canne pour votre oncle? 8. Pour qui est ce cadeau? 9. Où demeurez-vous? 10. Où votre ami demeure-t-il?

1. We left the three umbrellas, yours, mine, and your sister's, in church. 2. We found yours and mine, but we did not find your sister's. 3. Who is seated at your father's desk? 4. Has he his pen, yours, or your cousin's? 5. How many pupils are

there in your class? in his? in his brother's? 6. Did your brothers go to school to-day or did they stay at home? 7. Did you borrow your father's umbrella or your uncle's? 8. Where did you leave your inkstand, in your room or in your sister's? 9. We left your books, his, and your friend's in my desk at school. 10. Did your mother and father go to church yesterday? 11. Why is that little girl standing? Why is she not seated at her desk? 12. His father and mother have returned from Paris. 13. They gave a present to their neighbor's little boy. 14. There he is with the doctor's son. 15. We did not praise him, because he did not study his lessons.

LA LAITIÈRE ET LE POT AU LAIT

Perrette est une jolie laitière. Son pot au lait sur la tête, elle va tous les jours à la ville vendre son lait. Comme elle est légère et gracieuse! Et comme elle va vite! C'est parce qu'elle porte une jupe courte et des souliers plats qu'elle est si agile.

Le jour est beau, l'air est frais, les oiseaux chantent et Perrette est heureuse. Elle rêve. Son lait est bon et il y en a beaucoup; elle compte l'argent qu'elle en recevra.

Avec cet argent elle achète cent œufs. Bientôt elle a cent poules. Avec l'argent de ses poules, elle achète un cochon.

Elle engraisse bien son cochon et bientôt elle a une vache et son veau. Quel plaisir de les voir sauter dans l'herbe derrière sa maison!

A cette pensée Perrette, transportée de joie, saute aussi et hélas, avec elle, le pot au lait! Adieu veau, vache, cochon, poules!

Pauvre Perrette en grand danger d'être battue, retourne à la maison s'excuser auprès de son mari.

Mais, qui ne fait des châteaux en Espagne?

D'APRÈS LA FONTAINE

Questionnaire

A. 1. Qu'est-ce que c'est qu'une laitière? 2. Comment s'appelle la laitière dans cette histoire? 3. Comment est Perrette? 4. Quel costume porte-t-elle? 5. Où va-t-elle? 6. Pourquoi va-t-elle à la ville? 7. Va-t-elle souvent à la ville? 8. Comment porte-t-elle son pot au lait? 9. Va-t-elle lentement? 10. Pourquoi est-elle si agile?

B. 1. Pourquoi Perrette est-elle heureuse? 2. Après quelque temps que fait-elle? 3. A quoi rêve-t-elle? 4. Pourquoi pense-t-elle qu'elle recevra beaucoup d'argent quand elle vendra son lait? 5. Dans son rêve qu'achète-t-elle avec l'argent de son lait? 6. Pourquoi achète-t-elle des œufs? 7. Qu'achète-t-elle avec l'argent de ses poules? 8. Vend-elle le cochon tout de suite? 9. Avec l'argent de son cochon qu'achète-t-elle?

C. 1. Pourquoi Perrette est-elle transportée de joie? 2. Quel mouvement fait-elle quand elle est transportée de joie? 3. Qu'est-ce qui arrive quand Perrette saute? 4. Quelle en est la conséquence?

D. 1. Perrette est-elle mariée? 2. A-t-elle un bon mari? 3. Que fait-elle pour ne pas être battue? 4. Perrette est-elle méchante? 5. Quel défaut a-t-elle? 6. Est-ce mal de faire des châteaux en Espagne? 7. Faites-vous des châteaux en Espagne?

SEPTIÈME DICTÉE

La cuisine de madame Lesage est très jolie parce qu'elle est si claire, si blanche et si propre. La petite

bonne Rosine y est très heureuse et elle chante toujours en travaillant. Elle travaille beaucoup parce qu'il faut travailler si l'on aime les choses propres. La batterie de cuisine semble chanter aussi parce qu'elle est en cuivre et elle brille beaucoup. Il y a de petits rideaux blancs devant la fenêtre mais ils n'assombrissent pas cette cuisine qui est si gaie.

Questionnaire

Comment est votre cuisine? Qui travaille dans la cuisine? Pourquoi faut-il beaucoup travailler dans la cuisine? Votre mère chante-t-elle en travaillant? Pourquoi chante-t-elle? Votre batterie de cuisine est-elle en cuivre? Brille-t-elle beaucoup? Combien de fenêtres y a-t-il dans votre cuisine? Qu'y a-t-il devant cette fenêtre? Les rideaux assombrissent-ils votre cuisine?

Écrivez une petite composition sur votre cuisine.

VINGT-DEUXIÈME LEÇON

Qui a fait cela? *Moi.* Who did that? I.
Qui a trouvé la bague? *Lui.* Who found the ring? He.
Je suis venu avec *eux.* I came with them.
Elle est debout devant *lui.* She is standing in front of him.
Il est assis près de *moi.* He is seated near me.

Les pronoms emphatiques sont:

moi, I, me	**nous,** we, us
toi, thou, thee	**vous,** you
lui, he, him	**eux,** they, them, *m.*
elle, she, her	**elles,** they, them, *f.*

Les pronoms emphatiques s'emploient sans verbe.

Les pronoms emphatiques s'emploient après les **prépositions.**

avant, before (*time*)	**chez,** at the house of
après, after	**sans,** without
devant, in front of	**près de,** near
derrière, behind	**malgré,** in spite of

VINGT-DEUXIÈME LEÇON

Récitez les phrases suivantes, remplaçant le tiret par les pronoms emphatiques. Exemple: Il est arrivé avant moi, il est arrivé avant toi, il est arrivé avant lui, *etc.*

1. Le pupitre est derrière ——.
2. L'encrier est devant ——.
3. Il est venu après ——.
4. Elle l'a fait malgré ——.
5. Il est entré chez ——.
6. Ils sont partis sans ——.
7. Il est debout près de ——.
8. Ils sont sortis avant ——.

1. Ma mère est allée chez le médecin parce que mon frère est malade. 2. Il demeure près de l'église et il y a un grand jardin derrière sa maison. 3. Il y a deux grands arbres et de très jolies fleurs dans le petit jardin devant sa maison. 4. Ma petite sœur est sortie sans moi et elle est tombée. 5. Elle l'a fait malgré nous et malgré eux. 6. Nous sommes allés à l'église sans lui et sans elle. 7. Qui est assis près de vous? 8. Qui est debout derrière vous? 9. Arrivez-vous à l'école avant ou après moi? 10. Est-ce mon parapluie ou celui de votre sœur qui est sur le pupitre près de vous?

1. She left after us and she arrived before us. 2. In the classroom she is seated in front of me and I am seated behind her. 3. We left without them

and in spite of them. 4. I went to his house yesterday at half past four. 5. They have not yet come to our house. 6. Who lives near the school? I. 7. Here are your books and your friend's. 8. There is his desk or his brother's. 9. Who made that table? He. 10. Why did your mother go to the doctor's? 11. Did your brother go to the carpenter's this morning? 12. Who lives near the church? They. 13. I put some ink (*de l'encre*) in your inkstand, in mine, and in my sister's. 14. Why did you go without me? 15. She went away with her cousins before three o'clock.

VINGT-TROISIÈME LEÇON

Mon père a acheté une maison. Il l'a acheté*e* hier.
Avez-vous vu nos parapluies? Je les ai vu*s* dans la cuisine.
Qui a pris mes fleurs? Marie les a pris*es*.

Le participe passé conjugué avec l'auxiliaire **avoir** s'accorde avec le régime direct si le régime direct le précède. Autrement il est invariable.

J'ai acheté une plume et je l'ai perdue.

Acheté est un participe passé conjugué avec **avoir**, par conséquent il s'accorde avec le régime direct si le régime direct le précède. Le régime direct est **plume**; **plume** ne le précède pas; par conséquent **acheté** est invariable.

VINGT-TROISIÈME LEÇON

Perdue est un participe passé conjugué avec **avoir,** par conséquent il s'accorde avec le régime direct si le régime direct le précède. Le régime direct est **la;** la le précède. **La** est féminin singulier; par conséquent **perdue** est féminin singulier.

Analysez les participes passés dans les phrases suivantes et corrigez les fautes:

1. Voici une montre; je l'ai trouvé dans la rue.
2. Voilà des mouchoirs; je les ai acheté pour vous.
3. Qui a vu nos canifs?
4. Les voici; vous les avez laissé sur mon pupitre.
5. Je vous ai prêté deux plumes; pourquoi ne les avez-vous pas rendu?

la pomme, the apple	mangé, eaten
la poire, the pear	la semaine dernière, last week
la pêche, the peach	beaucoup, much, very much
la banane, the banana	mieux (*adverbe*), better
la cerise, the cherry	pourquoi? why?
la fraise, the strawberry	de quelle couleur est? what is
une orange, an orange	the color of?
le raisin, the grape (grapes)	penser, to think

Répondez aux questions suivantes:

1. Nommez huit fruits. 2. De quel genre sont les noms de fruits en français? 3. Y a-t-il des exceptions? 4. Nommez une exception. 5. Aimez-vous beaucoup les fruits? 6. Quel fruit aimez-vous le mieux, la pêche ou la poire? 7. Quel fruit aimez-

vous le mieux, la cerise ou la fraise ? 8. De quelle couleur sont les cerises ? 9. De quelle couleur sont les bananes ? 10. De quelle couleur est le raisin ? 11. Les fruits verts sont-ils bons ? 12. Quels sont les petits fruits ?

1. Who ate the apples? The little boy ate them. 2. He ate his and his brother's. 3. Did you buy any peaches? Yes, I bought six peaches and five bananas. 4. Where did you put them? 5. I put them on the table in the kitchen. 6. Who took the oranges? We took them: your brother took his, and I took Mary's and mine. 7. Are you very fond of (the) small fruits? 8. What is the color of those bananas? 9. Where did you leave the umbrellas? 10. I left them in the dining room near the door. 11. I did not see them; your brother took them, I think. 12. Why did you go to your aunt's without us? 13. Because you went to her house last week without me. 14. Where does your uncle live? He lives in (the) 192d street. 15. It is not yet half past six.

HUITIÈME DICTÉE

Il est six heures et demie et toute la famille est à table parce que c'est l'heure du dîner. La famille Lesage dîne le soir et non au milieu du jour parce que monsieur Lesage va aux affaires le matin et rentre le soir à six heures seulement. Monsieur et madame Lesage sont assis l'un en face de l'autre. La grand'-mère est assise à la droite de monsieur Lesage et le grand-père est assis à la droite de madame Lesage. Ils occupent les places d'honneur parce qu'ils sont âgés.

Questionnaire

A quelle heure dînez-vous? Pourquoi ne dînez-vous pas au milieu du jour? Où votre père et votre mère se placent-ils à table? Quelles sont les places d'honneur? Quelles personnes occupent les places d'honneur à table?

Écrivez une petite composition sur l'heure du dîner chez vous.

LE LOUP ET LE CHIEN

Un loup qui n'a que la peau sur les os, rencontre un chien qui est aussi fort que beau. Il voudrait bien l'attaquer pour en faire un bon dîner, mais le chien est fort et se défendrait bien.

Le loup s'approche donc humblement et dit:

— Tous mes compliments, beau sire, sur votre belle santé.

— Vous pourrez être aussi gras que moi si vous le désirez. Quittez le bois où vous êtes misérable, où vous mourez de faim. Suivez-moi et vous aurez bon logement et bonne nourriture.

— Que faut-il faire pour cela?

— Presque rien: chasser les voleurs et les mendiants; flatter et caresser les maîtres. Et, comme salaire, vous aurez beaucoup à manger et beaucoup de caresses.

Le loup est si heureux qu'il en pleure. Mais tout à coup il voit le cou pelé du chien.

— Qu'est-ce que c'est que cela ?

— Rien.

— Quoi ! rien !

— Peu de chose. Le collier dont je suis attaché en est peut-être la cause.

— Attaché ! Vous ne courez donc pas où vous voulez ?

— Pas toujours; mais qu'importe ?

— Il importe tant que, à ce prix, je ne veux ni repas, ni caresses, ni même le plus grand trésor au monde.

Et le loup s'enfuit.

D'APRÈS LA FONTAINE

Questionnaire

A. 1. Aimez-vous les loups? 2. Pourquoi pas? 3. Le loup dans cette histoire est-il gros et gras? 4. Quel animal rencontre-t-il un jour? 5. Le chien n'a-t-il que la peau sur les os? 6. Les loups mangent-ils les chiens? 7. Pourquoi ce loup ne mange-t-il pas ce chien? 8. Le loup voudrait-il le manger?

B. 1. Comment le loup s'approche-t-il du chien? 2. Pourquoi a-t-il peur d'attaquer le chien? 3. Quel compliment fait-il au chien? 4. Le chien répond-il aimablement au loup? 5. Que lui dit-il? 6. Quel conseil lui donne-t-il? 7. En quoi le chien se montre-t-il généreux envers le loup?

C. 1. Le loup est prudent; avant d'accepter l'hospitalité du chien que demande-t-il? 2. Que faudra-t-il faire pour avoir bon logement et bonne nourriture? 3. Si le loup chasse les voleurs et les mendiants, s'il flatte et caresse les maîtres, quel sera son salaire? 4. Est-ce un bon salaire? 5. Le loup pense-t-il que c'est un bon salaire?

D. 1. Tout à coup il y a un changement chez le loup, pourquoi? 2. Que demande-t-il au chien? 3. Le chien répond-il franchement au loup? 4. Enfin, le chien lui dit-il la cause de son cou pelé? 5. Qu'est-ce qui montre que le loup n'aimerait pas la vie du chien? 6. Le chien est-il content d'être attaché? 7. Le loup va-t-il chez le maître du chien? 8. Pourquoi pas? 9. Le loup qu'aime-t-il par-dessus tout?

VINGT-QUATRIÈME LEÇON

Je *lui* ai donné une montre et il *m*'a donné un canif.
Qu'avez-vous donné aux enfants?
Nous *leur* avons donné des bonbons et ils *nous* ont donné des fleurs.

Les pronoms qui s'emploient comme régimes indirects sont:

me, to me	**nous,** to us
te, to thee	**vous,** to you
lui, to him	**leur,** to them, *m*.
lui, to her	**leur,** to them, *f*.

Ces pronoms se placent généralement devant le verbe.

Il *me* montre le livre. He is showing me (*to me*) the book.
Il *te* montre le livre. He is showing thee (*to thee*) the book.
Il *lui* montre le livre. He is showing him (*to him*) the book.
Il *lui* montre le livre. He is showing her (*to her*) the book.

Il *nous* montre le livre. He is showing us (*to us*) the book.
Il *vous* montre le livre. He is showing you (*to you*) the book.
Il *leur* montre le livre. He is showing them (*to them*) the book.

montrer, to show **raconter,** to relate
apporter, to bring **un bonbon,** a bonbon, (a piece of) candy

Récitez les phrases suivantes, remplaçant le tiret par les pronoms régimes indirects:

1. Il —— montre le tableau.
2. Elle —— donne des bonbons.
3. Ils —— ont apporté des livres.
4. Elle —— a raconté une histoire.
5. Il ne —— a pas donné les bonbons.
6. Elle ne —— a pas raconté l'histoire.

Lisez les phrases suivantes et répondez-y:

1. Pourquoi avez-vous montré ma lettre à votre sœur? 2. Avez-vous donné les bonbons à vos cousines? 3. Pourquoi ne prêtez-vous pas votre parapluie au menuisier? 4. Avez-vous raconté l'histoire à ces hommes? 5. Que m'avez-vous apporté ce matin? 6. Que vous ai-je donné hier? 7. Pourquoi ne nous montrez-vous pas votre joli chapeau? 8. Quels fruits avez-vous achetés ce matin?

1. I did not tell her the story, because it is not interesting. 2. The children came to our house and we gave them some bonbons. 3. Did you give

them some cherries also? 4. Who brought us that pretty present? 5. There are our cousins; at what time did they arrive? 6. They arrived at a quarter to nine this morning. 7. Why do you praise those children? 8. I praise them because they always study their lessons. 9. Why are you looking for the boys? 10. I am looking for them because I did not give them their present this morning. 11. Did you scold the men who brought you the bad peaches? 12. Why are those children standing near that tree? 13. Who took our notebooks? 14. I did not take them, but I saw them on the table. 15. Here is yours and there is your brother's.

VINGT-CINQUIÈME LEÇON

donner — *Impératif*

Forme affirmative	*Forme négative*
donn**e**, give (thou)	ne donn**e** pas, do not give
donn**ons**, let us give	ne donn**ons** pas, let us not give
donn**ez**, give (you)	ne donn**ez** pas, do not give

Les terminaisons de l'impératif de la première conjugaison sont:

e
ons
ez

Récitez l'impératif des verbes suivants, d'abord à la forme affirmative, puis à la forme négative:

1. regarder
2. montrer
3. chercher
4. apporter
5. raconter
6. excuser

regardez-moi, look at me
regarde-toi, look at thyself
montrez-lui le livre, show (to) him the book
montrez-le à l'enfant, show it to the child

A l'impératif *affirmatif* seulement, on place le pronom régime, direct ou indirect, *après* le verbe et on emploie **moi** et **toi** au lieu de **me** et **te**.

Le trait d'union lie le pronom au verbe à l'impératif *affirmatif*.

le gâteau, the cake **honnête,** honest
l'argent, *m.*, the money

Lisez les phrases suivantes et mettez-les à l'impératif affirmatif:

1. Ne lui donnez pas les bonbons.
2. Ne leur montrez pas le jardin.
3. Ne me racontez pas cette histoire.
4. Ne nous prêtez pas l'argent.
5. Ne lui parlez pas de moi.
6. Ne nous apportez pas le gâteau.
7. Ne le donnez pas à l'enfant.

8. Ne lui donnez pas les fleurs.
9. Ne les regardez pas maintenant.
10. Ne le cherchez pas aujourd'hui.
11. Ne le donnez pas à la couturière.
12. Ne leur donnez pas les livres maintenant.

1. There are some bonbons; give them to the child. 2. Do not give them to that child, he is ill. 3. Give me the cake, please. 4. Lend him the money because he is very poor. 5. Do not lend him the money, because he is not honest. 6. Lend it to the carpenter's son, who is very honest. 7. Look at me; do not look at him. 8. Show me your hat and your sister's; do not show them to that woman. 9. Bring me those cherries, please. 10. Give them to the child. 11. Do not scold him; scold her. 12. Where are the peaches? We ate them yesterday. 13. Did you eat the strawberries too? No, we did not eat them. 14. Why did your brothers go to the lawyer's yesterday? 15. They went to his house because he is very ill.

NEUVIÈME DICTÉE

Rosine en tablier blanc tout propre, apporte le potage. Il est très chaud et il sent très bon. Je pense que c'est un potage aux légumes. Toute la famille en prend deux fois parce que tout le monde a bon appétit. Après le potage, Rosine apporte la viande, un beau rosbif que monsieur Lesage découpe. Monsieur Lesage sert d'abord la grand'mère, puis le grand-père, ensuite sa femme et enfin les enfants. Mais ceux-ci ne sont pas impatients parce qu'ils sont très bien élevés.

Questionnaire

Mangez-vous du potage tous les jours? Les Français mangent-ils du potage tous les jours? Aimez-vous la viande? Aimez-vous le rosbif? Aimez-vous les légumes? Qu'aimez-vous le mieux, la viande ou les légumes? Votre famille a-t-elle bon appétit? Qui découpe la viande chez vous? Qui votre père sert-il d'abord? Pourquoi sert-on les grands-parents d'abord? Qui sert-on les derniers? Les enfants sont-ils impatients quand on les sert les derniers? Pourquoi pas?

Écrivez une petite composition sur le dîner chez vous.

LA RÉCOMPENSE

Ce soir, Jean rentre sans bon point,
Il dit: « Mère, ne gronde point,
Mon problème était faux, je n'ai pas eu de chance,
J'ai bien travaillé cependant!
— Alors, mon petit, sois content:
Le travail par lui-même est une récompense,
Le travail pour porter des fruits
Demande des jours et des nuits.

Vois ton père, mon Jean: il laboure en automne.
Puis il sème; puis vient l'hiver,
Et puis passent le printemps vert,
Juin, juillet, août . . . Alors seulement, il moissonne.»

ALEXIS NOËL

Questionnaire

A. 1. Quand Jean rentre de l'école ce soir pourquoi n'est-il pas gai? 2. Quand sa mère lui demande son bon point, quelle explication donne-t-il à sa mère? 3. Pourquoi sa mère n'est-elle pas fâchée? 4. Quelle est la récompense du travail? 5. Le travail porte-t-il toujours immédiatement des fruits?

B. 1. Quel est le travail du père de Jean? 2. Le travail du laboureur porte-t-il immédiatement des fruits? 3. Quand le laboureur commence-t-il son travail? 4. Quand son travail porte-t-il des fruits? 5. Que fait le laboureur en automne? 6. Quelle saison vient après l'automne? 7. Quelle saison vient après l'hiver? 8. Quels sont les mois de l'été? 9. Quand le laboureur moissonne-t-il?

VINGT-SIXIÈME LEÇON

Mon frère est *plus grand* que moi; il est *aussi grand* que mon père.

Cette leçon est *moins difficile* que la dernière.

Mon gâteau est bon, mais le vôtre est *meilleur*.

Pour comparer entre elles deux personnes ou deux choses, on met **plus**, **aussi**, ou **moins** devant l'adjectif.

> **plus triste que,** sadder than
> **aussi triste que,** as sad as
> **moins triste que,** less sad than

Un des comparatifs de **bon** est irrégulier. Il faut dire **meilleur** et non pas plus bon.

> **meilleur que,** better than
> **aussi bon que,** as good as
> **moins bon que,** less good than

Formez les différents comparatifs des adjectifs suivants:

1. grand
2. gai
3. aimable
4. jeune
5. intéressant
6. utile
7. facile
8. malade
9. bon

un chat, a cat
un chien, a dog
intelligent, intelligent
le banc, the bench
le fauteuil, the armchair
confortable, comfortable
blanc, *m.*, **blanche,** *f.*, white

Marie a un chapeau blanc et une robe blanche.
Louise a une robe rouge et un chapeau noir.

Les adjectifs de couleur se placent après les noms.

Lisez les phrases suivantes et répondez-y:

1. Aimez-vous les chiens? 2. Aimez-vous les chats? 3. Les chiens sont-ils plus intelligents ou moins intelligents que les chats? 4. Ce grand fauteuil rouge est-il plus confortable que celui de votre père? 5. Le fauteuil vert est-il plus joli que le fauteuil bleu? 6. Ces bonbons sont-ils meilleurs que les vôtres? 7. A qui avez-vous donné la robe blanche? 8. A-t-elle acheté la cravate bleue pour

vous ou pour lui? 9. Un banc est-il plus confortable ou moins confortable qu'un fauteuil? 10. Un avocat est-il aussi utile qu'un médecin?

1. Your dog is prettier than my sister's, but hers is more intelligent than yours. 2. Who gave her those two black cats? I saw them yesterday; they are very pretty. 3. Why did your aunt buy the red armchair? 4. She bought it because it is better and more comfortable than the blue armchair. 5. Is a bench as comfortable as an armchair? 6. Is the dressmaker as intelligent as the milliner? 7. Is a doctor more or less useful than a lawyer? 8. That green umbrella is better than the blue umbrella. 9. The carpenter's son is more cheerful than the lawyer's. 10. Are the cherries better than the strawberries? 11. We went into our neighbor's garden this morning and she gave us these pretty yellow flowers. 12. I have not yet seen your white dress. 13. You showed it to my sister and she thinks (= finds) it prettier than your blue dress.

VINGT-SEPTIÈME LEÇON

Ce livre-*ci* est le vôtre et ce livre-*là* est le mien. This book is yours and that book is mine.

Cette plume-*là* est mauvaise mais cette plume-*ci* est bonne. That pen is bad, but this pen is good.

Ces mots-*ci* sont difficiles mais ces mots-*là* sont faciles. These words are difficult, but those words are easy.

Traduisez en français:

1. This cat and that cat.
2. That cat and this cat.
3. Those dogs and these dogs.
4. These dogs and those dogs.
5. This bench and that bench.
6. That bench and this bench.
7. This umbrella and that umbrella.
8. That umbrella and this umbrella.
9. These armchairs and those armchairs.
10. These inkstands and those inkstands.

Comme il n'est pas élégant de répéter le nom, on emploie le pronom démonstratif à la place du second nom.

ce livre-ci et *celui*-là
cette plume-là et *celle*-ci
ces mots-ci et *ceux*-là
ces phrases-là et *celles*-ci

Dans l'exercice ci-dessus, remplacez les noms répétés par des pronoms démonstratifs.

1. Cette maison-ci est plus jolie que celle-là.
2. Oui, mais celle-là est plus grande que celle-ci.
3. Vos arbres sont-ils aussi hauts que les nôtres?
4. Ceux-ci sont plus hauts, mais ceux-là sont moins hauts que les vôtres. 5. Prêtez-moi ce parapluie-là et prêtez-lui celui-ci. 6. Cette leçon-ci est plus

facile que celle-là. 7. Non, je pense que celle-là est aussi difficile que celle-ci. 8. Pourquoi a-t-il ouvert ces fenêtres-là et fermé celles-ci? 9. Ce pupitre-ci est-il plus grand ou moins grand que celui-là?

1. Show her this dress; do not show her that one. 2. That one is prettier than this one. 3. These apples are better than those. 4. Is that ink better than this? 5. The dressmaker has arrived; have you seen her? 6. She has come from Paris and has brought us two pretty white dresses. 7. This one is for me and that one is for you. 8. I like that one better than this one. 9. Is this armchair as good as that one? 10. This one is better and prettier than that one. 11. I bought it yesterday for your mother. 12. My mother has gone to my grandmother's house to-day. 13. At what time did she start? She left at a quarter to three. 14. Where does your grandmother live? 15. She lives in (the) One Hundred and Seventieth Street.

DIXIÈME DICTÉE

Rosine fait le tour de la table avec les légumes. Elle a des pommes de terre dans un plat et des haricots verts dans l'autre. Elle, aussi, offre les légumes d'abord à la grand'mère, puis au grand-père et enfin aux enfants. Après la viande et les légumes, il y aura une salade et ensuite il y aura un dessert: une glace au chocolat, je pense, mais je n'en suis pas sûr. C'est un bon dîner, n'est-ce pas?

Questionnaire

Quelle est votre viande favorite? Quels sont vos légumes favoris? Quel est votre dessert favori? Aimez-vous le potage? Aimez-vous la salade? Une supposition: C'est votre fête; votre mère vous permet d'inviter deux ou trois de vos amis à dîner et elle vous permet aussi de faire le menu.

Écrivez une petite composition sur le dîner offert à vos amis pour célébrer votre fête.

NOËL

C'est la veille de Noël. Le petit Paul a été très sage surtout ces jours derniers. C'est parce qu'on lui a dit que le bonhomme Noël met de jolies choses dans les souliers des enfants sages.

Paul ne veut pas dormir. Il écoute. Il entend son papa et sa maman aller et venir dans la cuisine. Il attend et il est impatient parce qu'il attend. Il veut mettre ses souliers dans la cheminée de la cuisine.

Enfin, tout est tranquille dans la maison. Paul se lève et il met ses souliers dans la cheminée. Il est nu-pieds et, comme les carreaux de la cuisine sont froids, il retourne vite dans son lit. Il ferme les yeux et il s'endort.

C'est Noël! Paul se lève de très bonne heure. Il court à la cuisine chercher ses souliers. Il se demande: «Bonhomme Noël est-il venu? Bonhomme Noël a-t-il laissé quelque chose pour le petit Paul?»

Oh oui, il y a quelque chose dans chaque soulier. Comme Paul est content! Dans un soulier il y a une trompette. C'est justement ce que Paul veut. Comme il est content! Mais qu'est-ce qu'il y a dans l'autre soulier?

Paul est surpris et je ne sais pas s'il est bien content. C'est une brosse pour nettoyer les souliers! Ah, voilà! Paul aime beaucoup à jouer dans la boue. Tous les jours il salit ses souliers. Maintenant il pourra les nettoyer avec sa brosse.

Questionnaire

A. 1. Quel jour est-ce quand cette histoire commence? 2. Quelle a été la conduite de Paul ces jours derniers? 3. Paul est-il toujours sage? 4. Pourquoi a-t-il été sage surtout ces jours derniers? 5. Paul dort-il? 6. Pourquoi pas? 7. Est-il patient? 8. Où sont le papa et la maman de Paul? 9. Paul sait-il que son papa et sa maman sont à la cuisine? 10. Comment le sait-il?

B. 1. Quand Paul se lève-t-il? 2. Reste-t-il longtemps à la cuisine? 3. Pourquoi pas? 4. Pourquoi est-il content de retourner dans son lit? 5. Veut-il dormir maintenant?

C. 1. Paul reste-t-il tard au lit, le matin de Noël? 2. Que fait-il tout de suite après qu'il se lève? 3. Que se demande-t-il? 4. Bonhomme Noël *est*-il venu? 5. A-t-il laissé quelque chose

pour Paul? 6. Bonhomme Noël qu'a-t-il laissé pour Paul?
7. De quoi Paul est-il très content? 8. Quelle sorte de
brosse, bonhomme Noël a-t-il laissé pour Paul? 9. Pourquoi
bonhomme Noël a-t-il laissé une brosse pour Paul? 10. Est-
ce un cadeau utile? 11. Paul aime-t-il ce cadeau? 12. La
maman de Paul est-elle contente de ce cadeau? 13. Pourquoi
en est-elle contente?

VINGT-HUITIÈME LEÇON

La fleur *qui* est sur la table est très jolie.
Les fleurs *qui* sont sur la table sont très jolies.
La fleur *que* j'ai donnée à Marie est rouge.
Regardez le canif *qui* est sur la table.
Voici le canif *que* j'ai trouvé hier.

Le pronom relatif est **qui** (*who, which, that*) pour le
sujet, et **que** (*whom, which, that*) pour le régime.

Dans la première phrase **qui** est le sujet de **est**.
Dans la troisième phrase **que** est le régime direct de
ai donnée.

Voici la table *que* j'ai achetée hier.
Here is the table I bought yesterday.

Que n'est jamais sous-entendu en français.

porter, to carry, wear   **la chanson,** the song
ôter, to take off   **avec plaisir,** with pleasure
            chanter, to sing

*Dans les phrases suivantes remplacez les tirets par
un pronom relatif et expliquez votre décision:*

1. Avez-vous vu le banc —— est dans le jardin?
2. Mon père l'a acheté pour ma mère —— est malade.   3. Les bancs —— nous avons vus chez le menuisier sont très jolis.   4. La dame —— est assise près de ma mère est ma tante.   5. Voici des fleurs —— elle a apportées pour ma mère.   6. Elle aime beaucoup ma mère —— est sa sœur favorite.
7. Ces fleurs sont plus jolies que celles —— nous avons achetées hier.   8. Voici une chanson —— j'ai achetée pour vous.   9. La jeune fille —— vous avez vue chez nous la semaine dernière est partie hier matin pour Paris.

1. Who bought the bench which is in the garden?
2. I; do you not like it better than the one which our neighbor has in his garden?   3. I think (= find) it much more comfortable than his.   4. Did you see the dress the dressmaker made for your cousin?
5. No, but I saw the dresses she brought from Paris.
6. Why do you wear that white hat? Take it off, please.   7. The book which your uncle gave you is more interesting than the one I bought.   8. The trees that are in your garden are higher than those that are in mine.   9. The two boys who are studying in that room are my cousin's friends.   10. Do not take these grapes; take those which are in the box; they are much better than these.   11. Here is a song I bought this morning; please sing it.

12. With pleasure; I am very fond of that song; I like it much better than the one I bought last week.
13. Are these pears better than those? Do you like (the) pears better than (the) apples? 14. The book which you found is hers; she lost it yesterday.
15. You did not return the pen you borrowed; where did you leave it?

VINGT-NEUVIÈME LEÇON

Il a *chanté*.	Il compte *chanter* ce soir.
Je suis *sorti*.	Je désire *sortir*.
Il est *venu* chez moi.	Voulez-vous *venir* chez moi?

Le verbe est au participe quand il est précédé d'un des auxiliaires **avoir** ou **être**.

Le verbe est à l'infinitif quand il est précédé de tout autre verbe.

voulez-vous? { do you wish? / will you? }
tard, late
fatigué, tired
seulement, only
compter, to expect, intend
aller, to go
rester, to remain, stay

marcher, to walk
passer, to pass
venir, to come
revenir, to come back
sortir, to go out
partir { to go away / to leave / to set out }

Dans l'exercice suivant comment doit-on écrire les verbes qui sont sans terminaison, à l'infinitif ou au participe? Expliquez pourquoi.

1. Voulez-vous mang– une pomme? 2. Avez-vous déjà mang– votre pomme? 3. Comptez-vous march–? 4. Voulez-vous march– à l'école avec moi? 5. Êtes-vous all– à l'école hier? 6. Comptez-vous étudi–? 7. Avez-vous cherch– vos livres? 8. Les avez-vous laiss– à l'école? 9. Voulez-vous nous pass– les cerises? 10. Qui les a mang–?

1. Do you wish to go out with us this afternoon? 2. We expect to leave at two and to return at half past five. 3. I prefer (*like better*) to remain at home to-day, because my mother is ill. 4. She went out yesterday with my aunt and she returned very late, at a quarter to seven. To-day she is very tired. 5. Will you sing this song for my mother; she is very fond of it. I sang it last night, but I do not sing well. 6. Will you go into the garden with me? 7. Do you not wish to look at the pretty flowers? 8. Do you expect to remain at your uncle's this week? 9. I expect to remain at his house two or three days. 10. Why does that boy wear his hat in the house? Does he take it off only in the street? 11. Did you give her the books you bought yesterday? 12. No, not yet; do you wish to look at them? 13. They are on the small table that is near the window. 14. That story is much more interesting than the one I read last week. 15. Will you pass me the book, please? With pleasure.

TRENTIÈME LEÇON

agir, to act
choisir, to choose
obéir, to obey
désobéir, to disobey
guérir, to cure

punir, to punish
salir, to soil
réussir, to succeed
saisir, to seize
rougir, to blush

le maître, the teacher
la loi, the law
un ordre, an order
tout de suite, immediately

sage, good, well behaved
mal, badly
heureux, heureuse, happy
malheureux, malheureuse, unhappy

La terminaison de l'infinitif présent de la deuxième conjugaison est **ir**.

agir — *Indicatif présent*

Forme affirmative

I act, am acting, do act, *etc.*

j'ag**is**
tu ag**is**
il ag**it**

nous ag**issons**
vous ag**issez**
ils ag**issent**

Forme négative

je n'ag**is** pas
tu n'ag**is** pas
il n'ag**it** pas

nous n'ag**issons** pas
vous n'ag**issez** pas
ils n'ag**issent** pas

Forme interrogative

est-ce que j'ag**is**?
ag**is**-tu?
ag**it**-il?

ag**issons**-nous?
ag**issez**-vous?
ag**issent**-ils?

Les terminaisons de l'indicatif présent de la deuxième conjugaison sont:

is	issons
is	issez
it	issent

Récitez l'indicatif présent des verbes suivants à la forme affirmative:

1. choisir
2. punir
3. obéir
4. réussir
5. saisir
6. salir

Récitez l'indicatif présent des verbes suivants à la forme négative:

1. guérir
2. réussir
3. rougir
4. désobéir
5. choisir
6. punir

Récitez l'indicatif présent des verbes suivants à la forme interrogative:

1. obéir
2. agir
3. salir
4. réussir
5. guérir
6. choisir

Jean est heureux parce qu'il obéit à son père et à sa mère.

Marie est malheureuse parce qu'elle désobéit à son père et à sa mère.

En français, on obéit et on désobéit à une personne, à une loi, à un ordre.

Conjuguez les phrases suivantes:

1. J'obéis à mon père.
2. J'obéis à ma mère.
3. J'obéis au maître.
4. J'obéis à la loi.
5. Je ne désobéis pas à la loi.
6. Je ne désobéis pas aux ordres du maître.

Dans les phrases suivantes mettez tous les infinitifs à l'indicatif présent.

1. Le médecin *guérir* les malades. 2. Les malades *obéir* aux médecins. 3. L'enfant sage *obéir* à ses parents. 4. Les hommes ne *désobéir* pas à la loi. 5. Si vous n'*obéir* pas tout de suite vous *désobéir*. 6. Cet enfant *saisir* la montre de sa mère. 7. Regardez-le; il *rougir*. 8. Sa mère le *punir*. 9. Elle ne *parler* pas mais elle *agir*.

1. Why does the mother punish her son? 2. Because he does not obey her. 3. He obeys her, but he does not obey her immediately. 4. He does not succeed in school because he does not study. 5. His teachers punish him often because he disobeys them. 6. He does not blush when he is naughty. 7. Do you obey your teachers? 8. I obey them. 9. If we disobey them we remain after school. 10. I do not desire to remain with the naughty children. 11. I desire to succeed.

TRENTE ET UNIÈME LEÇON

Nous aimons *les* livres.

Le beurre est bon.

Nous avons *des* amis.

Nous achetons souvent *des* livres.

Nous avons *du* beurre sur notre pain.

Les vrais amis sont précieux.

Dans le premier exemple on dit «Nous aimons les livres,» parce que nous aimons tous les livres: nous aimons les livres en général. Mais on dit «Nous achetons **des** livres,» parce que nous n'achetons pas tous les livres mais seulement une partie de tous les livres.

On se sert de l'article défini devant un nom quand le sens est général.

On se sert de l'article partitif devant un nom quand le sens est partitif.

L'article partitif est:

du, de la, de l', des, some or any

Expliquez l'emploi des articles dans tous les exemples donnés ci-dessus.

ne . . . . rien, nothing
ils prennent, they take
ils mettent, they put
cher, chère, dear, expensive
fidèle, faithful

un Anglais, an Englishman
le thé, tea
un oiseau, a bird
précieux, précieuse, precious
tous les matins, every morning

Conjuguez les phrases suivantes:

1. Je n'ai rien.   2. J'aime le chocolat.   3. J'ai des oiseaux.   4. Je choisis des amis fidèles.   5. Je ne salis rien.

Dans le paragraphe suivant, remplacez les tirets par l'article défini ou partitif et expliquez votre décision:

1. —— Français aiment beaucoup —— café.   2. Ils prennent —— café tous les matins.   3. Dans leur café ils mettent —— sucre et —— lait.   4. —— sucre est cher en France.   5. —— café aussi est bien cher en France.   6. —— Français prennent —— pain et —— beurre avec leur café.   7. Il y a —— Français qui prennent —— chocolat tous les matins et il y a aussi —— Français qui ne prennent rien avant midi.

1. Dogs are faithful.   2. They are more faithful than cats.   3. Dogs obey their masters.   4. My mother is fond of dogs.   5. She is fond of cats also. 6. Dogs and cats are not always friends.   7. My mother punishes her dog when he does not obey her. 8. Englishmen take tea for breakfast.   9. They are very fond of tea.   10. There are Englishmen who take tea four times a (*par*) day.   11. Do you like tea?   12. Do you like coffee better than tea?   13. Do your parents take tea, coffee, or chocolate for their breakfast?   14. Do they put milk in their tea? 15. Do they put sugar in their coffee?

ONZIÈME DICTÉE

Pierre Lesage est très content. Il vient d'avoir six ans et ses parents ont décidé de l'envoyer à l'école. Ils ont décidé de l'envoyer à une petite école particulière qui est tout près de chez eux. Il n'y a pas d'avenue à traverser, il n'y a pas même de rue à traverser et voilà pourquoi madame Lesage a choisi cette école. Elle sait que son Pierre est très vif et très étourdi et elle sait aussi qu'avec le grand nombre d'automobiles qu'il y a aujourd'hui à Paris, un accident est bien vite arrivé.

Questionnaire

1. Pourquoi Pierre Lesage est-il content? 2. Quel âge a-t-il? 3. A quelle sorte d'école ses parents ont-ils décidé de l'envoyer? 4. Qui a choisi cette école? 5. Pourquoi madame Lesage l'a-t-elle choisie? 6. Faut-il longtemps

pour arriver à cette école? 7. Pourquoi madame Lesage ne veut-elle pas que Pierre traverse une avenue? 8. Y a-t-il beaucoup d'automobiles à Paris? 9. Y en a-t-il beaucoup à New-York? 10. Quel âge aviez-vous quand vous êtes allé à l'école pour la première fois? 11. L'école était-elle près de chez vous? 12. Aviez-vous une avenue à traverser? 13. Aviez-vous une rue à traverser? 14. Pourquoi est-il dangereux pour un enfant de traverser une avenue? 15. Pourquoi était-il particulièrement dangereux pour Pierre de traverser une avenue? 16. Les grandes personnes sont-elles étourdies? 17. Êtes-vous étourdi quelquefois? 18. Êtes-vous étourdi quelquefois quand vous écrivez votre devoir? 19. Les Français sont-ils vifs? 20. Est-ce bon d'être vif?

vient d'avoir six ans, is just six years old
envoyer, to send
particulière, (*f.*) private
tout près de, very near
traverser, to cross

étourdi, thoughtless, heedless
vif, vivacious, quick
elle sait, she knows
faut-il longtemps? does it take long?
veut-elle? does she want?

TRENTE-DEUXIÈME LEÇON

remplir, to fill
amer, amère, bitter
c'est dommage! it is a pity! it is too bad
quel dommage! what a pity!

Noël dernier, last Christmas
le mois dernier, last month
l'année dernière, last year
la semaine dernière, last week
a eu lieu, took place

La semaine dernière mon frère a été bien malade mais le médecin l'a guéri. Il lui a donné un médicament très amer. Mon frère a obéi au médecin; il est

TRENTE-DEUXIÈME LEÇON

resté au lit. Je lui ai choisi un livre intéressant et j'ai réussi à l'amuser.

Quand on raconte quelque chose qui a eu lieu dans le passé on emploie le passé indéfini.

choisir — *Passé indéfini*

Forme affirmative

j'ai choisi, I chose, have chosen, did choose
etc.

Forme négative

je n'ai pas choisi
etc.

Forme interrogative

ai-je choisi
etc.

La terminaison du participe passé de la deuxième conjugaison est **i**.

Récitez le passé indéfini des verbes suivants à la forme affirmative:

1. remplir   2. punir   3. guérir

Récitez le passé indéfini des verbes suivants à la forme négative:

1. obéir   2. réussir   3. remplir

Récitez le passé indéfini des verbes suivants à la forme interrogative:

1. agir   2. remplir   3. saisir

Dans le paragraphe ci-dessus, remplacez les mots « mon frère » par « mes frères » et lisez le paragraphe en faisant les changements nécessaires.

Remplacez les mots « mon frère » par « vous » et lisez le paragraphe avec les changements nécessaires.

Remplacez les mots « La semaine dernière » par « aujourd'hui » et lisez avec les changements nécessaires.

1. What a pity! Who soiled this book? 2. I think your little brother soiled it. 3. He filled his inkstand and the ink fell on the book. 4. It is too bad! His aunt gave him that book last Christmas. 5. Why did he disobey his father? 6. His father scolded him last week because he filled his inkstand. 7. To-day we choose the prizes we give to the children who succeed. 8. Who are the boys that succeed? 9. The boys that succeed are those who study and work well. 10. There is the doctor who cured our neighbor last month. 11. He gave him (**un**) very bitter medicine. 12. Boys do not like medicine (*pl.*), but doctors give medicine to those who are sick.

TRENTE-TROISIÈME LEÇON

J'ai acheté *des* fleurs.	Je n'ai pas acheté *de* fleurs.
Nous avons *de l'*argent.	Nous n'avons pas *d'*argent.
Il a *de la* patience.	Il n'a jamais *de* patience.
Ils ont *du* courage.	Ils n'ont plus *de* courage.

TRENTE-TROISIÈME LEÇON

Après une négation on emploie **de** ou **d'** au lieu de **du, de la, de l', des** quand le sens est partitif.

J'ai acheté *des* gants. J'ai acheté *de* jolis gants.
J'ai acheté *des* gants blancs.
Voici *du* pain. Voici *de* bon pain.
Voici *du* pain frais.

Devant un adjectif on emploie **de** ou **d'** au lieu de **du, de la, de l', des,** quand le sens est partitif.

le trottoir, the sidewalk
beau, belle, beautiful, handsome
vieux, vieille, old
frais, fraîche, fresh
louer, to rent
la bonne, the maid

le ruban, the ribbon
la dentelle, the lace
le marché, the market
au marché, to market, in the market
les haricots verts, string beans
la rangée, the row

le magasin, the store
ne . . . plus, no more, no longer
ne . . . jamais, never
par terre, on the ground, on the floor

Conjuguez les phrases suivantes:

1. Je suis allé au marché.
2. Je suis allé au magasin.
3. Je n'ai plus de patience.
4. Je n'ai plus de gants.
5. J'ai acheté des haricots verts.
6. J'ai de bons haricots verts.
7. Je n'ai pas acheté de haricots verts.
8. J'ai du ruban bleu.
9. J'ai de vieux rubans.
10. J'ai vu des papiers par terre.

Dans le paragraphe suivant, remplacez chaque tiret par un partitif et expliquez votre décision.

Quelle belle avenue! Il y a —— arbres de chaque côté du trottoir. Il y a aussi —— arbres au milieu de la rue, quatre rangées en tout. De chaque côté du trottoir il y a —— grands arbres. Ce sont —— vieux arbres. Au milieu de la rue il y a —— petits arbres. Ce sont —— jeunes arbres. La rue est jolie parce qu'il n'y a pas —— papiers par terre: elle est propre. De chaque côté de la rue il y a —— grandes maisons. Dans ces maisons il y a —— appartements. Il y a —— grands appartements et il y a aussi —— petits appartements. Il n'y a plus —— appartements à louer. C'est parce que ces appartements sont beaux et parce qu'ils ne sont pas chers.

1. He has some lace. 2. He has some beautiful lace. 3. He has no lace. 4. He never has any lace. 5. He has no more lace. 6. We have some ribbon. 7. We have no more ribbon. 8. You have some old ribbon. 9. You have some red ribbon. 10. They never have any ribbon. 11. The maid went to market and Mary went with her. 12. They saw beautiful peaches and beautiful cherries in the market. 13. They bought peaches, but they did not buy any cherries. 14. Cherries are always dear. 15. They bought string beans also. 16. String beans are very good when they are fresh and small. 17. They are

not good when they are old.   18. Mary and the maid went to the store also.   19. They bought some beautiful lace.   20. They did not buy any ribbon. 21. They did not find any good ribbon.   22. They chose some pretty flowers for the table.   23. They did not find any roses.   24. They returned home at ten o'clock.

DOUZIÈME DICTÉE

Pierre est très intelligent et il aime beaucoup l'école. La classe commence à huit heures et Pierre n'est jamais en retard. Les écoliers travaillent jusqu'à midi mais ils ont des récréations d'un quart d'heure après chaque leçon. Comme ils sautent, comme ils courent, comme ils crient dans la cour de l'école pendant ces petites récréations qui finissent toujours trop tôt!

A midi on déjeune et après le déjeuner c'est la grande récréation. Toute l'école va jouer au jardin du Luxembourg qui est en face de l'école. Comme on s'amuse! On joue à la balle, aux billes, à cache-cache, à saute-mouton. On fait des culbutes. Et Pierre saute, court, crie. Il est de toutes les parties et il est bien heureux. A deux heures il faut rentrer en classe. Mais à quatre heures tout sera fini et on aura encore une bonne heure pour jouer au Luxembourg avant de rentrer à la maison.

Questionnaire

1. Pourquoi Pierre aime-t-il l'école? 2. Qu'est-ce qui montre que Pierre aime beaucoup l'école? 3. A quelle heure la classe commence-t-elle? 4. A quelle heure finit-elle? 5. Pierre travaille-t-il tout ce temps? 6. Combien de périodes de récréation a-t-il? 7. Les périodes de récréation sont-elles longues? 8. Que font les écoliers pendant la récréation? 9. Où passent-ils leurs périodes de récréation? 10. A quoi jouent-ils? 11. Les écoliers aiment-ils Pierre? 12. Comment savez-vous qu'ils l'aiment? 13. Après la classe Pierre rentre-t-il tout de suite? 14. Pierre reste-t-il à l'école de huit heures à cinq heures sans manger? 15. Quand vous étiez tout petit aimiez-vous à aller à l'école? 16. Étiez-vous jamais en retard? 17. A quelle heure la classe commençait-elle? 18. A quelle heure finissait-elle? 19. Déjeuniez-vous à la maison ou à l'école? 20. Aviez-vous beaucoup de périodes de récréation? 21. Que faisiez-vous pendant la récréation? 22. Où passiez-vous la période de récréation? 23. A quelle heure rentriez-vous à la maison après l'école?

Écrivez une petite composition sur la première école où vous êtes allé.

en retard, late
un écolier, a schoolboy
être de toutes les parties, to be in all games
ils courent, they run
ils crient, they shout
ils sautent, they jump
la cour, the yard
trop tôt, too soon
en face de, opposite
jouer à la balle, to play ball
il va jouer, he goes to play
jouer aux billes, to play marbles
jouer à cache-cache, to play hide and seek
jouer à saute-mouton, to play leap-frog
une culbute, a somersault

TRENTE-QUATRIÈME LEÇON

attendre, to wait for
défendre, to forbid, defend
descendre, to come down, come downstairs
entendre, to hear
mordre, to bite
perdre, to lose
rendre, to give back
répondre, to answer
suspendre, to hang
rentrer, to return home
quitter, to leave
poliment, politely
du bruit, a noise
quelques, a few
puis, then, afterwards

La terminaison de l'infinitif présent de la troisième conjugaison est **re**.

attendre — *Indicatif présent*

Forme affirmative

I wait for, am waiting for, do wait for, *etc.*

j'attend*s*　　　　nous attend*ons*
tu attend*s*　　　　vous attend*ez*
il attend　　　　　 ils attend*ent*

Forme interrogative

est-ce que j'attend*s*?　　attend*ons*-nous?
attend*s*-tu?　　　　　　attend*ez*-vous?
attend-il?　　　　　　　attend*ent*-ils?

Les terminaisons de l'indicatif présent de la troisième conjugaison sont:

s	ons
s	ez
—	ent

attendre — *Passé indéfini*

I have waited for, waited for, did wait for, *etc*.

j'ai attendu
etc.

La terminaison du participe passé de la troisième conjugaison est **u**.

Récitez l'indicatif présent des verbes suivants à la forme affirmative:

1. défendre
2. entendre
3. perdre
4. répondre
5. attendre
6. descendre

Récitez l'indicatif présent des verbes suivants à la forme négative:

1. mordre
2. rendre
3. suspendre
4. défendre
5. entendre
6. perdre

Récitez l'indicatif présent des verbes suivants à la forme interrogative:

1. entendre
2. perdre
3. rendre

Récitez le passé indéfini des verbes suivants:

1. descendre (être)
2. répondre
3. défendre

J'ai répondu poliment à mon père.

Répondez toujours poliment à vos maîtres.

En français on répond à une personne, à une lettre, à une question.

Conjuguez les phrases suivantes:

1. J'attends mes parents.
2. J'ai attendu mon ami.
3. J'entends du bruit.
4. Je suis descendu au jardin.
5. J'ai suspendu mon habit.
6. Je ne réponds pas à la question.
7. J'ai répondu à toutes mes lettres.
8. Je réponds poliment à mes parents.
9. Je réponds poliment à mon maître.

Parce que Charles n'a pas bien étudié ses leçons, son père lui a défendu de quitter sa chambre. Malheureusement Charles n'est pas toujours sage. C'est dommage, n'est-ce pas? Charles a entendu fermer la porte derrière son père. Il a attendu quelques minutes, puis il est descendu au jardin. Il a saisi la plus belle pêche de son père et il a mordu dans ce beau fruit. Quel méchant garçon! Voilà que le père de Charles est rentré chercher des papiers. Il a crié: «Charles! Charles!» Mais Charles ne lui a pas répondu. Charles n'est pas heureux parce qu'il a désobéi à son père. Maintenant il le regrette. Pauvre Charles! Les méchants ne sont jamais heureux.

Lisez le paragraphe ci-dessus en mettant tous les verbes au présent.

1. I am answering my letters. 2. We are answering our letters. 3. Are you waiting for me? 4. I am waiting for you and I am waiting for him also.

5. Do you hear a noise? 6. I hear a noise; I hear the children who are playing. 7. They are coming down stairs now. 8. My friend wrote to me last week and I am answering his letter. 9. I always answer my letters at once. 10. I am returning the books he lent me last week. 11. I found them very interesting. 12. I saw your grandfather this morning and I spoke to him, but he did not answer me. 13. He is very old and he no longer hears very well; does he? (*n'est-ce pas?*) 14. Are you going down in the garden with him to-day? 15. Yes, I am going down with him in (*dans*) a quarter of an hour. 16. I am waiting for my friends. 17. I waited for them a quarter of an hour yesterday. 18. I do not desire to wait for them a quarter of an hour to-day.

TRENTE-CINQUIÈME LEÇON

M... est un petit village en France. Tous les hommes de ce village excepté les vieux sont allés à la guerre. Toutes les femmes du village travaillent à leur place. Elles cultivent la terre. Elles ont du courage et de la patience, et tout le monde les admire. Tous les enfants du village étudient avec la maîtresse d'école dans une cave. C'est très triste. Ils étudient tous les jours. Ils étudient dans une cave parce qu'il n'y a plus de maison d'école dans le village; il n'y a plus de salle de classe. Mais les petits enfants français étudient quand même parce qu'ils ne désirent pas rester ignorants.

tout, toute, tous, toutes, every, all, whole

En français l'adjectif **tout** précède l'article.

tout le monde, everybody
toute la maison, the whole house
toutes les maisons, all the houses
la maîtresse, the teacher (*f.*)
la terre, the earth, soil
une cave, a cellar
le bois, the wood, forest
un été, a summer
un pays, a country

tous les ans, every year
toutes les semaines, every week
tous les lundis, every Monday
excepté, except
à la guerre, to war
cultiver, to cultivate, till
planter, to plant
quand même, anyhow
L'Amérique est un beau pays.
à la campagne, in(to) the country

aller — *Indicatif présent, forme affirmative*

I go, am going, do go, *etc.*

je vais
tu vas
il va

nous allons
vous allez
ils vont

Conjuguez les phrases suivantes:

1. Je vais à l'école tous les jours.
2. Je vais à l'église tous les dimanches.
3. Je vais à la cave chercher du bois.
4. Je vais au magasin acheter du ruban.
5. Je vais à la guerre défendre mon pays.
6. Je vais à la campagne tous les étés.
7. Je vais cultiver la terre cet été.

1. Every Monday, every Tuesday, etc. we go to school.   2. Every Sunday we go to church.   3. Every Saturday we stay at home.   4. Every Thursday the little French children stay at home.   5. Every Saturday they go to school.   6. Everybody likes (the) summer.   7. When I am in the country I till the ground.   8. Every morning I work in the garden. 9. I planted flowers in my garden last summer. 10. This summer I have beautiful flowers.   11. Why do our men go to war?   12. They go to war to defend their country.   13. Who cultivates the land when all the men are at war?   14. The women till the ground in their stead.

TREIZIÈME DICTÉE

Regardons Pierre qui est tout prêt à partir pour l'école.   Pour ne pas salir ses vêtements il porte un tablier de toile noire qui lui descend jusqu'aux genoux. Sur la tête il a une casquette.   Dans son sac qu'il porte en sautoir, il a mis son livre, son cahier, son crayon, son canif, sa gomme et sa plume.   A la main il porte très soigneusement un petit panier.   Qu'y a-t-il dans ce panier?   On ne peut voir parce qu'il y a une serviette qui couvre le panier.   Mais voilà quelque chose qui déborde!   C'est en verre!   C'est une petite bouteille!   Regardons sous la serviette pendant que Pierre ne regarde pas.   Nous verrons une petite casserole dans laquelle il y a une tranche de gigot et des petits pois. A côté de la casserole il y a un gros morceau de pain et un bon morceau de chocolat. Dans la bouteille il y a de l'eau rougie, c'est-a-dire, un peu de vin et beaucoup d'eau. A midi la bonne de l'école réchauffera le déjeuner de Pierre. Pierre le mangera avec plaisir parce qu'il a toujours bon appétit.

Questionnaire

1. Pierre ressemble-t-il à un écolier américain? 2. Pourquoi pas? 3. Pourquoi porte-t-il un tablier? 4. Quelle sorte de tablier porte-t-il? 5. Est-il long ou court? 6. Comment porte-t-il son sac? 7. Qu'y a-t-il dans son sac? 8. Que porte-t-il à la main? 9. Comment le porte-t-il? 10. Pourquoi le porte-t-il si soigneusement? 11. Peut-on voir ce qu'il y a dans le panier? 12. Pourquoi pas? 13. Ne peut-on rien voir, rien du tout? 14. Pourquoi peut-on voir la bouteille? 15. Si nous soulevons un coin de la serviette que verrons-nous? 16. Pourquoi le gigot et les petits pois sont-ils dans une casserole? 17. Qu'y a-t-il dans la bouteille? 18. Y a-t-il autre chose dans le panier? 19. Pierre a-t-il bon appétit? 20. Comment le savez-vous? 21. Les garçons américains portent-ils des tabliers? 22. Quand vous étiez un petit écolier portiez-vous un sac en sautoir? 23. Comment portiez-vous vos livres? 24. Portiez-vous un déjeuner ou un goûter? 25. Dans quoi le portiez-vous? 26. Que mangiez-vous pour votre goûter? 27. Aviez-vous bon appétit à l'heure du goûter?

prêt à, ready to
vêtements, *m.* clothes
la toile, linen
les genoux, *m.* the knees
la tête, the head
une casquette, a cap
en sautoir, slung over the shoulder
soigneusement, carefully
le panier, the basket
on peut, one can

voir, to see
la serviette, the napkin
déborder, to stick out, protrude
la bouteille, the bottle
pendant que, while
nous verrons, we shall see
la casserole, the saucepan
une tranche de gigot, a slice of leg of lamb
un peu, a little
réchauffer, to warm over

TRENTE-SIXIÈME LEÇON

le nez, the nose
le tableau, the picture
le feu, the fire
un cheveu, a hair
le chapeau, the hat
le fils, the son
un soldat, a soldier
un officier, an officer
un parent, a parent, relative

la marine, the navy
le cheval, the horse
le journal, the newspaper
la poitrine, the breast
la médaille, the medal
égal, equal
fier, fière, proud
généreux, généreuse, generous
une armée, an army

un tel père, such a father

lire — *Indicatif présent, forme affirmative*

I read, am reading, do read, *etc.*

je lis
tu lis
il lit

nous lisons
vous lisez
ils lisent

Voici un beau général qui a les cheveux blancs et la poitrine couverte de médailles. Tous les généraux, tous les officiers et tous les soldats l'aiment, l'admirent et le respectent parce qu'il est brave, généreux et bon. Le général a deux fils. Un fils est dans l'armée et l'autre est dans la marine. On dit que les fils aussi sont braves, généreux et bons. Certainement ils sont heureux d'avoir un tel père et le père est heureux d'avoir de tels fils. Regardez le cheval du général! Quel animal fier! Les chevaux sont de beaux animaux.

Pour former le pluriel d'un nom ou d'un adjectif, on ajoute s au singulier.

Dans le paragraphe ci-dessus, trouvez tous les noms et tous les adjectifs qui prennent s au pluriel.

Les noms et les adjectifs terminés au singulier par s, x, ou z ne changent pas au pluriel.

Dans le paragraphe ci-dessus, il y a un nom et deux adjectifs qui ne changent pas au pluriel; trouvez-les.

Les noms et les adjectifs terminés au singulier par **au** et **eu** prennent **x** au pluriel. **Bleu, bleus** est une exception.

*Dans le paragraphe ci-dessus, il y a un adjectif et un nom qui ajoutent **x** au pluriel; trouvez-les.*

Les noms et les adjectifs terminés au singulier par **al** changent **al** en **aux** au pluriel.

*Dans le paragraphe ci-dessus, il y a trois noms qui changent **al** en **aux** au pluriel; trouvez-les.*

TRENTE-SIXIÈME LEÇON

Donnez le pluriel de tous les noms et de tous les adjectifs dans le vocabulaire.

Récitez l'indicatif présent des verbes suivants:

1. respecter　　　2. admirer　　　3. aimer

Répondez aux questions suivantes:

1. Le général est-il jeune? 2. Comment savez-vous qu'il n'est plus jeune? 3. De quelle couleur avez-vous les cheveux? 4. Le général est-il brave? 5. Comment savez-vous qu'il est brave? 6. Dans l'armée, à qui donne-t-on des médailles? 7. Donne-t-on des médailles dans la marine aussi? 8. Avez-vous des parents dans l'armée? 9. Avez-vous des parents dans la marine? 10. Pourquoi le général est-il heureux? 11. Pourquoi ses fils sont-ils heureux? 12. Nommez un animal. 13. Nommez deux autres animaux. 14. Quel animal est fier? 15. Quel animal est fidèle? 16. Lisez-vous les journaux? 17. Lisez-vous le journal tous les matins et tous les soirs? 18. Combien de journaux votre père lit-il par jour?

1. Generals are brave. 2. This general is very brave. 3. He has received five medals. 4. All his officers and all his soldiers respect him because he is so brave. 5. They love him because he is generous and kind. 6. Why do they admire him? 7. His

sons are generous also. 8. The three men are happy. 9. The general has beautiful white hair. 10. His sons have beautiful black hair. 11. The general is proud of his sons because (the) one is an officer in the army and the other an officer in the navy. 12. The sons are proud because they have such a father. 13. All the newspapers speak of the general. 14. I have two relatives in the army. 15. I have no relatives in the navy. 16. There are beautiful pictures in that store.

TRENTE-SEPTIÈME LEÇON

| parler | finir | vendre |

Le Futur

I shall speak, finish, sell, *etc.*

je parler*ai*	je finir*ai*	je vendr*ai*
tu parler*as*	tu finir*as*	tu vendr*as*
il parler*a*	il finir*a*	il vendr*a*
nous parler*ons*	nous finir*ons*	nous vendr*ons*
vous parler*ez*	vous finir*ez*	vous vendr*ez*
ils parler*ont*	ils finir*ont*	ils vendr*ont*

L'infinitif est le radical du futur. Les verbes en **re** perdent **e** devant la terminaison.

Les terminaisons du futur sont:

ai	ons
as	ez
a	ont

TRENTE-SEPTIÈME LEÇON

Récitez le futur des verbes suivants à la forme affirmative:

1. guérir
2. travailler
3. attendre
4. remplir
5. écouter
6. entendre

Récitez le futur des verbes suivants à la forme négative:

1. chercher
2. défendre
3. réussir
4. mordre
5. choisir
6. descendre

Récitez le futur des verbes suivants à la forme interrogative:

(La troisième personne du singulier demande le **t** euphonique. Exemple: perdra-t-il?)

1. perdre
2. étudier
3. obéir
4. répondre
5. remarquer
6. saisir

j'aurai, I shall have
écrire, to write
attentif, attentive, attentive
la semaine prochaine, next week
le mois prochain, next month
je serai, I shall be
un devoir, a written lesson
un examen, an examination
l'année prochaine, next year
encore quelques années, a few years more
demain, to-morrow

Récitez le futur du verbe **avoir.**
Récitez le futur du verbe **être.**

Je travaillerai encore quelques années, je serai toujours attentif, j'étudierai toutes mes leçons, j'écrirai tous mes devoirs, je réussirai à passer tous mes examens et je rendrai mes parents bien heureux.

Lisez le paragraphe ci-dessus (a) *avec* **nous** *comme sujet;* (b) *avec* **il** *comme sujet;* (c) *avec* **vous** *comme sujet; et* (d) *avec* **ils** *comme sujet.*

1. They are working to-day; they worked yesterday and they will also work to-morrow. 2. We studied our lessons yesterday; we are studying them to-day and we shall study them to-morrow. 3. Next year we shall stay two months in the country. 4. Did you stay two months in the country last year? 5. Do you like the country? 6. Do you like the country better than the city? 7. Will you be in the country next month? 8. He will not succeed if he does not study. 9. She will not answer your letter to-day. 10. She will answer the letter next week. 11. That dog will play with the child and he will not bite him. 12. He loves children. 13. He always obeys his master. 14. He is waiting for him now.

QUATORZIÈME DICTÉE

Pierre arrive à l'école. Il lève poliment sa casquette et dit bonjour à son maître puis il dit bonjour à ses camarades. Il suspend sa casquette au fond de la salle et il prend sa place.

Dans la classe de Pierre il y a vingt-cinq élèves. Sur le devant de la salle se trouve le bureau du maître et derrière le bureau il y a le tableau noir. Les petits, ceux qui commencent à lire et à écrire, sont assis devant une longue table sur de petits bancs près du bureau du maître. Pierre est avec eux. Derrière les petits il y a les grands, — des enfants de sept à huit ans, — qui étudient leurs leçons et écrivent leurs

devoirs dans leurs cahiers. Pendant que les grands étudient le maître enseigne la lecture aux petits. Pierre apprend très vite, il fait beaucoup de progrès. Il est ambitieux; il désire aller au lycée avec son frère aîné.

Questionnaire

1. Pierre est-il poli? 2. Que fait-il qui montre qu'il est poli? 3. Où les élèves mettent-ils leurs casquettes? 4. Combien d'élèves y a-t-il dans la classe de Pierre? 5. Où se trouve le bureau du maître? 6. Où se trouve le tableau noir? 7. Tous les élèves ont-ils le même âge? 8. Quel âge les grands ont-ils? 9. Où Pierre est-il assis? 10. Qui est assis près du bureau du maître? 11. Sont-ils assis sur des chaises? 12. Ont-ils des pupitres? 13. A qui le maître enseigne-t-il d'abord? 14. Que leur enseigne-t-il? 15. Pendant que le maître enseigne aux petits, que font les grands? 16. Pierre est-il bon élève? 17. Quelle autre qualité a-t-il? 18. Quel grand désir a-t-il? 19. Quand vous arrivez en classe, à qui dites-vous bonjour? 20. Où mettez-vous votre casquette? 21. Quand vous êtes allé à l'école pour la première fois, quelle était votre place? 22. Y avait-il des écoliers plus jeunes que vous? 23. Où était le bureau du maître? 24. Où était le tableau noir? 25. Le maître que vous enseignait-il? 26. Faisiez-vous des progrès? 27. Étiez-vous ambitieux? 28. Aviez-vous quelque grand désir?

Écrivez une composition sur vos premiers jours à l'école.

un camarade, a comrade
un crochet, a hook
au fond, at the back
sur le devant, in front
le bureau, the desk
lire, to read
il enseigne, he teaches
la lecture, reading
il apprend, he learns
le lycée, a school which covers the work of a high school and of two years at college
aîné, elder
une qualité, a quality
faisiez-vous? were you making? were you doing?
un devoir, a task, written lesson

TRENTE-HUITIÈME LEÇON

combien? how much? how many? **un morceau,** a piece
trop, too much, too many **une bouteille,** a bottle
assez, enough **un panier,** a basket
beaucoup, very much, many **une tasse,** a cup
moins, less, fewer **un verre,** a glass
peu, little, few **un pain,** a loaf of bread
une livre, a pound **un œuf,** an egg
une demi-livre, a half pound **la viande,** the meat
une douzaine, a dozen **le légume,** the vegetable
une demi-douzaine, a half dozen **les petits pois,** green peas

Il y a beaucoup de légumes mais peu de fruits au marché aujourd'hui. Il y a beaucoup plus de légumes mais beaucoup moins de fruits qu'hier. Les légumes et les fruits sont plus chers cette année-ci que l'année dernière. Nous avons acheté une demi-livre de haricots verts, une livre de petits pois, trois livres de pain, une bouteille de lait et une demi-douzaine d'œufs. Je ne sais pas exactement combien de viande j'ai achetée. Je pense que j'ai trop de viande mais j'aime mieux avoir trop que trop peu de viande.

Les adverbes de quantité et les noms de quantité demandent la préposition **de** devant leur complément.

Dans le paragraphe ci-dessus il y a sept adverbes de quantité employés avec complément; trouvez-les.

Il y a quatre adverbes de quantité employés sans complément; trouvez-les.

Il y a cinq noms de quantité employés avec complément; trouvez-les.

Répondez aux questions suivantes:

1. Combien de pain votre mère achète-t-elle tous les jours? 2. Combien de lait achète-t-elle? 3. Combien de fraises achète-t-elle pour le dîner? 4. Combien de viande achète-t-elle? 5. Combien de légumes achète-t-elle? 6. Aimez-vous beaucoup de beurre ou peu de beurre sur votre pain? 7. Aimez-vous beaucoup de sucre ou peu de sucre dans votre café? 8. Si votre mère est malade et si elle vous dit d'aller au marché acheter le dîner, qu'achèterez-vous? 9. Si elle vous dit d'acheter le déjeuner, qu'achèterez-vous?

1. Do you want a cup of coffee or a cup of tea? 2. Do you want two or three pieces of sugar in your coffee? 3. Have you enough milk in your tea? 4. Do you want a glass of milk and a piece of bread? 5. I prefer (like better) a glass of water and a piece of cake. 6. We saw a great many vegetables in the market this morning. 7. We bought string beans and green peas. 8. We bought two pounds of peas and a half pound of string beans. 9. We received many eggs, much butter and a great deal of milk from the country last week. 10. We received two dozen eggs, five pounds of butter, and seven bottles of milk. 11. We gave some eggs, butter, and milk to our neighbor who is very poor. 12. My aunt has too many

eggs, too much butter, and too much milk. 13. She lives in the country. 14. She will sell milk, butter, and eggs to her neighbors who have less milk, less butter, and fewer eggs than she. 15. Her neighbors will sell her vegetables because she did not plant enough vegetables last summer.

TRENTE-NEUVIÈME LEÇON

écriv*ant*, writing
cous*ant*, sewing
lis*ant*, reading
cour*ant*, running
laiss*ant*, leaving
saut*ant*, jumping

étudi*ant*, studying
jou*ant*, playing
ri*ant*, laughing
réussiss*ant*, succeeding
embrass*ant*, embracing
travaill*ant*, working

La terminaison du participe présent est **ant**.

écrire, to write
coudre, to sew
lire, to read
courir, to run
rire, to laugh

doucement, softly, gently
vite, quickly
un ouvrage, work, piece of work
tout à coup, suddenly
pendant que, while

écrire — *Indicatif imparfait*

(I was writing, I used to write, *etc.*)

j'écriv*ais*
tu écriv*ais*
il écriv*ait*

nous écriv*ions*
vous écriv*iez*
ils écriv*aient*

Les terminaisons de l'imparfait sont:

ais
ais
ait

ions
iez
aient

Le participe présent et l'imparfait ont le même **radical**.

Récitez l'imparfait de tous les verbes du vocabulaire.

La semaine dernière Paul est allé visiter son oncle, sa tante, ses cousins et ses cousines, qui demeurent à la campagne. Ceux-ci ne l'attendaient pas. Paul est arrivé très doucement; il n'est pas entré tout de suite au salon; il est resté quelques minutes près de la porte et il a regardé dans le salon. Son oncle écrivait; sa tante cousait; Jean lisait; Marie étudiait et les deux petits jouaient avec le bébé qui riait. Tout à coup Paul a dit: «Bonjour, ma tante!» Quelle surprise! Tout le monde a sauté; l'oncle a laissé tomber sa plume; la tante a laissé tomber son ouvrage et tous les cousins sont allés vite l'embrasser.

On se sert de l'imparfait pour exprimer une action déjà commencée mais pas encore finie au temps passé dont on parle.

L'imparfait exprime le présent dans un temps passé.

Dans le paragraphe ci-dessus on dit «son oncle écrivait» parce que son oncle n'avait pas encore fini d'écrire quand Paul a regardé dans le salon; il continuait d'écrire.

Expliquez l'emploi de l'imparfait dans tout le paragraphe.

TRENTE-NEUVIÈME LEÇON

Conjuguez les phrases suivantes:

1. Je courais quand je suis tombé.
2. Je lisais quand Marie est partie.
3. J'étudiais quand Paul a frappé à la porte.
4. Je riais quand Jean a tiré ma photographie.
5. J'écrivais quand mon cousin est arrivé.
6. Je cousais quand le bébé est tombé.
7. Je jouais pendant que mes sœurs étudiaient.
8. J'étudiais pendant que les enfants jouaient.

1. I was studying my lessons when my cousin arrived yesterday.   2. When your letter came, we were reading an interesting book.   3. The maid was working when the baby fell.   4. We were speaking of you when you came in.   5. When I saw you this morning, were you waiting for your mother?   6. How many stores did you visit yesterday?   7. Did you see many pretty things?   8. I saw too many pretty things because I did not have enough money.   9. I was writing my lessons while you were reading.   10. What were you writing while we were studying?   11. We were answering our letters when you were studying.   12. The child was running when he fell.

QUINZIÈME DICTÉE

Maintenant le maître enseigne le calcul aux grands et c'est le tour des petits de copier des modèles d'écriture dans leurs cahiers.   Regardez Pierre!   Comme il s'applique! Regardez sa petite langue qui lui pend de la bouche.

Mais quel est ce bruit? Qu'est-ce qu'il y a? Ma foi, c'est le petit Pierre qui donne des coups de poing à un autre petit. Qu'est-ce qui est arrivé? Voilà: c'est la faute à Jules, ce petit espiègle, qui a lancé

une boulette de papier si adroitement qu'elle s'est aplatie sur la figure de Pierre. Pauvre Pierre! il s'est mordu la langue; il a laissé tomber sa plume et il a fait un gros pâté sur son beau cahier! Et ce n'est pas tout hélas! A quatre heures quand tous les autres enfants iront jouer au jardin du Luxembourg, Jules et lui resteront à l'école: ils seront en retenue.

Questionnaire

1. Le maître qu' enseigne-t-il aux grands? 2. Que font les petits pendant que le maître enseigne aux grands? 3. Pierre s'applique-t-il beaucoup? 4. Comment savez-vous qu'il s'applique beaucoup? 5. Quelle sorte de garçon

est Jules? 6. Qu'a-t-il fait de méchant? 7. Pourquoi Pierre s'est-il fâché? 8. Comment Pierre montre-t-il qu'il est fâché? 9. Qui le maître punit-il? 10. Pourquoi punit-il Pierre? 11. Pourquoi punit-il Jules? 12. Qui blâmez-vous? 13. Quelle est la punition de Pierre et de Jules? 14. Avez-vous jamais donné des coups de poing à un autre élève? 15. Avez-vous jamais lancé des boulettes de papier en classe? 16. Quelle sorte d'enfant lance des boulettes de papier en classe? 17. Aimez-vous le calcul? 18. Aimez-vous la lecture? 19. Quand vous étiez petit, copiiez-vous des modèles d'écriture dans un cahier?

le calcul, arithmetic
le tour, the turn
copier, to copy
il s'applique, he applies himself
la langue, the tongue
qu'est-ce qu'il y a? what is the matter?
ma foi! I declare
un coup de poing, a blow, punch
qu'est-ce qui est arrivé? what has happened?
la faute à Jules, Jules's fault
un espiègle, a little rogue
une boulette de papier, a paper ball
se fâcher, to get angry
lancer, to throw
adroitement, skillfully
aplatie (f.), flattened out
la figure, the face
un pâté, a blot
ils iront, they will go
en retenue, kept in

QUARANTIÈME LEÇON

peindre, to paint
peignant, painting
sonner, to ring
sonnant, ringing
arracher, to pull up
arrachant, pulling up
préparer, to prepare
préparant, preparing
le cadeau, the gift
la fête, the birthday, saint's day
occupé, occupied, busy
le champ, the field
la mauvaise herbe, the weed
la pomme de terre, the potato
un hiver, a winter
il y avait, there was, were

Récitez le futur de tous les verbes dans le vocabulaire.
Récitez l'imparfait de tous les verbes dans le vocabulaire.

Victor est très généreux. Il a reçu des cadeaux pour sa fête et il en a donné à son frère et à sa sœur. Il a reçu des fleurs et il en a donné à sa mère. Il a reçu des livres et il en prêtera à sa sœur et à ses amis qui aiment à lire. Il a reçu deux boîtes de couleurs, et il en a donné une à son frère qui aime beaucoup à peindre. Il a reçu beaucoup de bonbons et il en a donné à sa sœur. Tout le monde aime Victor parce qu'il est généreux. Quand il sera grand il aura beaucoup d'amis. Maintenant il aura du plaisir à parler des livres avec sa sœur. Il en aura beaucoup à peindre avec son frère.

En est le pronom partitif. Il veut dire *some, any, of it, of them.*

On se sert du pronom **en** pour ne pas répéter un nom pris dans un sens partitif.

Dans le paragraphe ci-dessus, le premier **en** représente « des cadeaux »; on emploie **en** pour ne pas répéter « des cadeaux ».

Expliquez l'emploi de tous les pronoms partitifs dans le paragraphe ci-dessus.

1. How many brothers have you? I have two.
2. How many cousins have you? I have a great many.
3. There are some men who have too much

money and there are others who have not enough. 4. If you have too much money, give some to the poor. 5. How many eggs did the maid buy? She bought a dozen. 6. Are there thirty or thirty-one days in this month? There are ——. 7. How many books have you? I have a hundred. 8. Lend some to your friends. 9. Were you playing when I rang? 10. No; I was reading when you rang; Mary was playing. 11. We went to the country last week and we found every one busy. 12. The men were working in the fields. 13. There were some men who were pulling up weeds and there were others who were planting potatoes. 14. There were some women who were sewing and there were others who were preparing vegetables and fruits for the winter.

QUARANTE ET UNIÈME LEÇON

coupant, cutting
sonnant, ringing
faisant, doing, making
devinant, guessing
déjeunant, breakfasting
annonçant, announcing
quittant, leaving
marchant, walking
sortant, taking out
ouvrant, opening
mangeant, eating
étant, being
avoir faim, to be hungry

le sac, the bag
les vacances, (f.) vacation
la cloche, the bell
un bateau, a boat
une après-midi, an afternoon
un pique-nique, a picnic
une partie de plaisir, a pleasure trip
gros, grosse, large, big
faire une promenade, to take a walk *or* trip
nous nous levions, we got up
pendant, during

Récitez l'imparfait de tous les verbes dans le vocabulaire.

Mon cher Gaston,

Vous me demandez si j'ai passé de bonnes vacances à la campagne. Je vous assure que oui. J'ai passé deux semaines chez mon oncle, deux semaines qui ont passé comme deux jours.

Tous les matins, mes cousins et moi nous nous levions à . . . devinez à quelle heure? A cinq heures du matin! Qu'en dites-vous? Nous déjeunions et nous partions pour les champs où nous travaillions jusqu'à midi. A midi nous entendions sonner la grosse cloche qui annonçait le dîner et je vous assure que nous en étions bien contents parce que nous avions grand'faim. Nous retournions vite à la maison et après le dîner il y avait toujours quelque partie de plaisir. Oh! les bonnes après-midi! Pourquoi n'étiez-vous pas avec nous! Une après-midi nous avons fait une longue promenade en automobile, une autre après-midi nous avons fait une longue promenade en bateau. Un autre jour nous avons fait un pique-nique dans le bois. Tous les jours nous faisions quelque chose d'amusant. Mon seul regret c'est que vous n'étiez pas avec nous.

Votre ami affectueux,

Adolphe.

On se sert de l'imparfait pour exprimer une action qui se répétait régulièrement au temps passé dont on parle.

L'imparfait exprime le présent dans un temps passé.

Dans le paragraphe ci-dessus **levions** est à l'imparfait parce que nous nous levions régulièrement tous les matins à cinq heures.

Expliquez l'emploi de l'imparfait dans tout le paragraphe.

Conjuguez les phrases suivantes:

1. J'ai faim.
2. Tous les jours à midi j'avais faim.
3. Toutes les après-midi je faisais une promenade en automobile.
4. Toutes les semaines je faisais un pique-nique.
5. Tous les dimanches je faisais une promenade en bateau.
6. A la campagne je faisais beaucoup de parties de plaisir.

Répondez aux questions suivantes:

1. Quand Adolphe était à la campagne, que faisait-il? 2. Où travaillait-il? 3. A quelle heure déjeunait-il? 4. A quelle heure déjeunez-vous? 5. A quelle heure avez-vous déjeuné hier? 6. Après le déjeuner que faisait Adolphe? 7. Travaillez-vous aux champs tous les jours? 8. Travailliez-vous aux champs tous

les jours quand vous étiez à la campagne l'été dernier?
9. Adolphe faisait-il tous les jours des parties de plaisir? 10. Faisait-il tous les jours des promenades en auto? 11. Faisait-il toutes les semaines des promenades en bateau? 12. Que faisait-il aux champs? 13. Que faisaient ses cousins? 14. Pourquoi la grosse cloche sonnait-elle? 15. Pourquoi Adolphe était-il content d'entendre sonner la grosse cloche?

1. When Grandfather was a little boy he went to a country school. 2. Every day he left home at seven o'clock. 3. He walked to school with his friends. 4. They arrived at the school door at ten minutes to eight. 5. They waited for the teacher at the door. 6. The teacher arrived at eight o'clock. 7. He took out of his pocket a large key and opened the door. 8. All the boys entered. 9. The large boys made the fire and the small boys prepared everything (*tout*) for (the) class. 10. At noon the teacher made soup. 11. All the boys and the teacher took out of their bags a large piece of bread. 12. The teacher and the pupils ate their bread with the soup. 13. Then they went out to chop wood. 14. At four o'clock everybody returned home. 15. One day Grandfather did not go to school because he was too ill. 16. All the boys came to visit him. 17. They were very fond of Grandfather and Grandfather was very fond of them also.

SEIZIÈME DICTÉE

Jean, le frère aîné de Pierre, va au lycée depuis quatre ans. Il est entré au lycée à l'âge de dix ans comme élève de sixième — dans la sixième classe — et il vient de finir le premier cycle. Jusqu'à présent il a été élève externe, c'est-à-dire, il a mangé et couché chez ses parents. Il est allé en classe deux fois par jour: le matin de huit heures à onze heures et demie, et l'après-midi de deux heures à quatre heures.

A la rentrée Jean sera en seconde et il commencera le deuxième cycle. Il aura à étudier encore plus sérieusement que quand il faisait le premier cycle. Monsieur Lesage a donc décidé que Jean sera demi-pensionnaire au lycée. Il ira en classe à huit heures du matin et il rentrera à sept heures du soir. Il étudiera ses leçons et il fera tous ses devoirs dans l'étude surveillée par le répétiteur. Le répétiteur lui expliquera ce qu'il ne comprendra pas et lui fera réciter ses leçons pour le lendemain.

Questionnaire

1. Comment s'appelle le frère de Pierre?   2. Jean est-il plus jeune que Pierre ou est-il son aîné?   3. Va-t-il à la même école que Pierre?   4. Depuis quand va-t-il au lycée?   5. Quel âge avait-il quand il a commencé ses cours?   6. En quelle classe a-t-il commencé ses cours?   7. A la rentrée en quelle classe sera-t-il?   8. Quelles classes a-t-il

déjà faites ? 9. Jusqu'à présent Jean a-t-il mangé et couché à l'école ? 10. Comment appelle-t-on un élève qui ne mange pas et qui ne couche pas à l'école ? 11. Combien de fois par jour les externes vont-ils en classe ? 12. Quelles sont les heures de classe des externes ? 13. Jean vient de finir le premier cycle; combien de temps lui a-t-il fallu pour le faire ? 14. A la rentrée quel changement y aura-t-il dans la vie de Jean ? 15. Quel avantage y a-t-il à ce changement ? 16. Combien d'heures Jean passera-t-il au lycée ? 17. Passera-t-il tout ce temps dans une salle de classe ? 18. Qui enseigne au lycéens ? 19. Qui surveille la salle d'étude ? 20. Quels sont les devoirs d'un répétiteur ? 21. Quel est le devoir d'un professeur ? 22. Êtes-vous un élève externe, demi-pensionnaire ou interne ? 23. Quelles sont vos heures de classe ? 24. Quelles sont vos heures d'étude ? 25. Où mangez-vous ? 26. Où couchez-vous ? 27. Dans votre école y a-t-il des professeurs et des répétiteurs ? 28. Quelle est la différence entre un professeur et un répétiteur ? 29. Qui vous explique ce que vous ne comprenez pas ? 30. Qui vous fait réciter vos leçons pour le lendemain ?

Écrivez une petite composition sur votre vie d'écolier.

un cycle, a course of study
1er (premier) cycle, four-year course of study
2e (deuxième) cycle, three-year course of study
la rentrée, reopening of school
donc, therefore
le demi-pensionnaire, the day boarder
il fera, he will do, will make
surveiller, to supervise
expliquer, to explain
le lendemain, the next day
un cours, a course of study
combien de temps a-t-il fallu ? how long did it take ?
un changement, a change
la vie, the life
un avantage, an advantage
coucher, to sleep, lodge

QUARANTE-DEUXIÈME LEÇON

célébrer, to celebrate
quelques, a few
clair, light colored
vrai, true, real
nouveau, nouvelle, new, other
le parquet, the hardwood floor
le cadre, the frame
le store, the shade
la toile, the linen
l'ivoire (*f.*), ivory
le cuivre, copper, brass
l'or (*m.*), gold
l'argent (*m.*), silver, money
le chiffonnier, the chiffonier
un meuble, a piece of furniture
un lit, a bed
une armoire, a closet
la brosse, the brush
le peigne, the comb
avoir quinze ans, to be fifteen years old

Récitez le futur et l'imparfait du verbe **célébrer.**

Émilie n'est plus une petite fille. Dans quelques jours elle aura quinze ans et elle sera alors une vraie jeune fille. Ses parents désirent célébrer cette occasion et ils lui préparent une grande surprise. Ils lui donneront de nouveaux meubles pour sa chambre: un joli petit lit de cuivre, un chiffonnier et deux chaises de bois clair; des stores de toile blanche et de beaux rideaux de dentelle pour ses fenêtres. Son oncle et sa tante qui l'aiment beaucoup lui donneront une brosse et un peigne d'ivoire. Son frère lui donnera un crayon d'argent et son grand-père, qui est un vrai papa-gâteau, lui donnera une toute petite montre d'or. Quelle heureuse jeune fille!

Le nom de la matière dont un objet est fait suit le nom de l'objet, auquel il est lié par la préposition **de.**

Conjuguez les phrases suivantes:

1. J'ai reçu une brosse et un peigne d'ivoire.
2. J'ai reçu une brosse et un peigne d'argent.
3. J'ai un lit de cuivre.
4. J'ai des meubles de bois clair.
5. J'ai quatorze ans.
6. J'aurai quinze ans demain.
7. J'ai eu treize ans au mois d'août.
8. J'ai une robe de toile blanche.

1. Mary has a very pretty room. 2. There is a light colored paper on the wall and the floor is of light colored wood. 3. She has five pieces of furniture in her room: a brass bed, a chiffonier, a desk, and two chairs. 4. All the furniture except the bed is of light colored wood. 5. In front of the windows there are linen shades and lace curtains. 6. The shades are of white linen. 7. On the chiffonier there are an ivory comb and brush and two photographs, (the) one of her father and the other of her mother. 8. The photographs are in silver frames. 9. Mary has hung all her dresses in her closet. 10. She has one lace dress, one blue linen dress, and one white linen dress. 11. All her books, her notebook, and her papers are in her desk.

QUARANTE-TROISIÈME LEÇON

montrant, showing
grimpant, climbing
menant, taking
entourant, surrounding
priant, praying
habiter, to dwell, inhabit
couvert de, covered with
rempli de, filled with
même (*adv.*), even
avoir peur, to be afraid
loin de, far from
le marbre, marble

la vigne, the vine
le toit, the roof
le fossé, the ditch, moat
la chapelle, the chapel
le château, the castle
le sourire, the smile
ridé, wrinkled
une dame, a lady
les messieurs, the gentlemen
la tour, the tower
un domestique, a servant
plusieurs, several

Jamais je n'oublierai ma première visite chez Grand'-mère. J'avais cinq ans quand mon père m'a mené chez elle pour la première fois. C'est qu'elle demeurait à la campagne assez loin de Paris.

C'était un beau jour d'été. Nous sommes partis de Paris, mon père et moi, à huit heures du matin et nous sommes arrivés devant la maison de Grand'mère à onze heures. Quelle jolie maison! Elle était toute petite, très vieille et toute couverte de vignes qui grimpaient jusqu'au toit: une vraie maison d'été, toute verte. Au salon tout était vieux aussi: les meubles étaient vieux, les tableaux, et même les messieurs et les dames qui étaient dans les tableaux. Quand nous sommes entrés dans le salon, Grand'mère était assise dans un grand fauteuil près de la fenêtre. Tout d'abord j'ai eu peur. Elle était si vieille, si ridée. Mais nous sommes devenus amis tout de suite, car elle avait un joli sourire, elle avait de beaux yeux noirs qui riaient toujours et surtout elle avait les poches toujours remplies de bonbons et de chocolat. Certainement c'était la meilleure, la plus jolie et la plus gaie des grand'mères.

On se sert de l'imparfait pour la description au temps passé dont on parle.

L'imparfait exprime le présent dans un temps passé.

Dans le passage ci-dessus on dit, j'**avais** cinq ans parce qu'on fait la description d'un petit garçon dans ce temps passé.

Expliquez l'emploi de l'imparfait dans tout le passage.

Conjuguez les phrases suivantes:

1. J'ai peur.
2. J'ai eu peur tout d'abord.
3. Je demeure loin de la ville.
4. J'étais espiègle quand j'étais petit.
5. J'avais les cheveux longs quand j'étais enfant.
6. Je grimpais aux arbres quand j'étais à la campagne.

1. Last year we visited a French castle. 2. The castle was very old and beautiful. 3. It was large and it had several towers. 4. There was a moat which surrounded the castle. 5. There was no water in the moat when we visited the castle. 6. The

castle was not inhabited.   7. There was an old [man] who showed the place to those who visited it.   8. In the castle there was a chapel.   9. The chapel was very beautiful; it was filled with statues and pictures. 10. When the castle was inhabited the family used to pray in the chapel every morning and every evening. 11. The servants used to pray with the family. 12. When we visited the castle there were several people who were visiting it also.   13. We remained two hours in the gardens.   14. There were many old trees and many beautiful statues in the gardens. 15. The statues were of white marble.

Résumé de l'emploi de l'imparfait.

Étudiez par cœur les règles suivantes avec les exemples.

L'imparfait exprime le présent dans un temps passé.

(a) On se sert de l'imparfait pour exprimer une action déjà commencée mais pas encore finie au temps passé dont on parle.

Exemple: Je **lisais** quand il est entré hier.

(b) On se sert de l'imparfait pour exprimer une action qui se répétait régulièrement au temps passé dont on parle.

Exemple: Quand il était malade il **demandait** du thé toutes les cinq minutes.

(c) On se sert de l'imparfait pour la description au temps passé dont on parle.

Exemple: C'**était** à Paris, midi **sonnait,** le soleil **brillait,** les drapeaux **flottaient,** la ville **était** en fête.

DIX-SEPTIÈME DICTÉE

Quand Jean a commencé le premier cycle, ses parents ont dû faire pour lui le choix entre la division qui étudie le latin et celle qui ne l'étudie pas. Ils ont choisi la division latine. Pendant ces quatre années Jean a donc étudié le français, le latin, l'anglais, l'histoire, la géographie, les mathématiques, la biologie, la physique, la chimie et le dessin. Avant de commencer le deuxième cycle il y a encore un choix à faire, et cette fois c'est entre quatre cours: latin-grec, latin-langues vivantes, latin-sciences et sciences-langues vivantes. Jean fait très bien en latin; il aime beaucoup l'anglais et il est un peu faible en sciences; donc le choix n'est pas difficile. M. et Mme Lesage décident que leur fils suivra le cours latin-langues vivantes et Jean en est très heureux. Il continuera les études déjà commencées et il y ajoutera l'espagnol et l'italien. Jean voudrait bien ne plus étudier de sciences mais un minimum de science est obligatoire pour tous. Il étudiera donc aussi la géologie.

QUARANTE-TROISIÈME LEÇON

Questionnaire

1. Quel choix M. et Mme Lesage ont-ils dû faire quand Jean est entré au lycée?   2. Quel a été leur choix?   3. Quels sont les sujets que Jean a étudiés pendant ces quatre années au lycée?   4. Quels sont ses sujets préférés?   5. Quels sont les sujets qu'il aime le moins?   6. Quand faut-il encore faire un choix?   7. Y a-t-il beaucoup de choix quand on commence le deuxième cycle?   8. Quels sont les cours du deuxième cycle?   9. Le choix est-il difficile pour les Lesage?   10. Pourquoi pas?   11. Pourquoi Jean est-il heureux?   12. Est-il complètement heureux?   13. Pourquoi ne peut-il pas discontinuer l'étude qu'il n'aime pas?   14. Jean oubliera-t-il ce qu'il a étudié dans le premier cycle?   15. Pourquoi pas?   16. Faudra-t-il qu'il étudie davantage désormais?   17. Pourquoi?   18. Quels sont les cours nouveaux que Jean suivra?   19. Quand vous êtes venu à cette école pour la première fois, quel choix avez-vous dû faire?   20. Quand ferez-vous encore un choix?   21. Quels sont les sujets que vous préférez?   22. Quels sont les sujets que vous aimez le moins?   23. L'année prochaine, discontinuerez-vous quelque sujet?   24. Ajouterez-vous quelque nouveau cours à votre programme?   25. Dans cette école les sciences sont-elles obligatoires?   26. Quels cours sont obligatoires dans cette école?

ils ont dû, they were obliged
le choix, the choice
la chimie, chemistry
le dessin, drawing
le grec, Greek
vivante (*f.*), living; modern
faible, weak
désormais, hereafter

suivre un cours, to take a course
ajouter, to add
l'espagnol, Spanish
l'italien, Italian
obligatoire, obligatory   [to?
faudra-t-il qu'il? will he have
ferez-vous? will you make? will you do?

QUARANTE-QUATRIÈME LEÇON

se lever, to get up, rise
se promener, to take a walk
se laver, to wash
se brosser, to brush oneself
se peigner, to comb one's hair
s'habiller, to dress oneself
paresseux, lazy
aussitôt que, as soon as
la condition, the condition
un vêtement, a garment

un jour de congé, a holiday
la figure, the face
le cou, the neck
une oreille, an ear
la main, the hand
la dent, the tooth
j'irai, I shall go
sans col, without a collar
sans cravate, without a tie
un soulier, a shoe

content, glad

Tous les matins je me lève à six heures, je me lave les mains, la figure, le cou, et les oreilles, je me brosse les dents, je me brosse les cheveux, je me peigne et je m'habille. Puis je déjeune. Après le déjeuner je vais à l'école ou, si c'est un jour de congé, je me promène.

Un verbe pronominal est un verbe qui se conjugue avec deux pronoms de la même personne.

se lever — *Indicatif présent*

Forme affirmative

(I get up, am getting up, do get up, *etc.*)

je me lève	nous nous levons
tu te lèves	vous vous levez
il se lève	ils se lèvent

Forme négative

je ne me lève pas	nous ne nous levons pas
tu ne te lèves pas	vous ne vous levez pas
il ne se lève pas	ils ne se lèvent pas

Forme interrogative

est-ce que je me lève?	nous levons-nous?
te lèves-tu?	vous levez-vous?
se lève-t-il?	se lèvent-ils?

Impératif

Forme affirmative

	levons-nous, let us get up
lève-toi, get up (thou)	**levez-vous,** get up (you)

Forme négative

	ne nous levons pas,
ne te lève pas,	ne vous levez pas

Deux syllabes muettes ne peuvent pas se suivre. Voilà pourquoi les verbes avec un e muet dans l'avant-dernière syllabe de l'infinitif prennent un accent grave sur cet e devant une syllabe muette.

Récitez l'indicatif présent, le futur et l'impératif des verbes **se promener** *et* **se lever.**

Conjuguez tous les verbes du vocabulaire à l'indicatif présent, à l'imparfait, au futur et à l'impératif.

Dans le paragraphe ci-dessus remplacez le pronom **je** *par* **vous** *et lisez avec les changements nécessaires.*

Remplacez **je** *par* **nous** *et lisez.*

Remplacez **je** *par* **ils** *et lisez.*

Remplacez **tous les matins** *par* **demain** *et lisez.*

Remplacez **tous les matins** *par* **l'été dernier** *et lisez.*

Conjuguez les phrases suivantes:

1. Je me brosse les vêtements tous les jours.
2. Je me brosse les souliers.
3. J'irai en France quand je serai grand.
4. J'irai me promener demain.
5. J'irai me promener quand j'aurai un jour de congé.
6. Est-ce que je m'habille vite?
7. Je ne me lève pas tout de suite.

1. John is lazy; he gets up at seven o'clock. 2. He does not wash and he does not dress at once. 3. He goes down to the dining room without a collar and without a tie. 4. His mother scolds him. 5. She says to him: "Why do you not comb and brush your hair as soon as you get up every morning? 6. Why do you not put on your collar and tie when you dress? 7. You shall not breakfast with us in that condition. 8. Return to your room; brush your hair; brush your teeth. 9. Wash your hands, ears, and neck. 10. Then if you come down to the dining room, we shall be glad to (*de*) breakfast with you. 11. We do not come down to the dining room without a collar and without a tie. 12. We wash and dress; we comb and brush our hair as soon as we get up every morning."

QUARANTE-CINQUIÈME LEÇON

un réveille-matin, an alarm clock
remonter, to wind up
se réveiller, to waken
être en retard, to be late
être de bonne heure, to be early
au moment où, at the time when
le savon, the soap
couru, run
juste à l'heure, just on time

Nous avons oublié hier soir de remonter notre réveille-matin et ce matin nous nous sommes réveillés à sept heures seulement. Nous nous sommes levés tout de suite. Nous nous sommes lavé les mains et la figure. Nous nous sommes brossé les dents et nous nous sommes habillés très vite. Nous sommes partis sans déjeuner. Nous avons couru à l'école et nous sommes entrés dans la salle de classe au moment où la cloche sonnait. Heureusement, car le maître punit les élèves qui sont en retard. Il aime que les élèves arrivent de bonne heure. Il n'accepte pas d'excuse quand on est en retard.

Les verbes pronominaux se conjuguent avec **être**.

se lever — *Passé indéfini*

je me suis levé(e)	nous nous sommes levé(e)s
tu t'es levé(e)	vous vous êtes levé(e)s
il s'est levé	ils se sont levés
elle s'est levée	elles se sont levées

Le participe passé d'un verbe pronominal s'accorde avec le régime direct si le régime direct le précède. Autrement il est invariable.

Nous nous sommes habillés; nous nous sommes lavé les mains.

Habillés est le participe passé d'un verbe pronominal, par conséquent il s'accorde avec le régime direct si le régime direct le précède. Le régime direct est **nous; nous** le précède. **Nous** est masculin pluriel; par conséquent **habillés** est masculin pluriel.

Lavé est le participe passé d'un verbe pronominal, **par conséquent** il s'accorde avec le régime direct si le régime direct le précède. Le régime direct est **mains; mains** ne le précède pas; par conséquent **lavé** est invariable.

Analysez tous les participes dans le paragraphe ci-dessus.

Dans le paragraphe ci-dessus remplacez le pronom **nous** *par* **je** *et lisez avec les changements nécessaires.*

Remplacez **nous** *par* **vous** *et lisez.*

Remplacez **nous** *par* **ils** *et lisez.*

Conjuguez les phrases suivantes:

1. Je remonte mon réveille-matin tous les soirs.
2. Je me suis réveillé de bonne heure ce matin.
3. Je me suis habillé en une demi-heure.
4. Je désire arriver à l'école de bonne heure.
5. Je n'aime pas à être en retard.
6. J'ai couru pour ne pas être en retard.

1. Mary winds up her alarm clock every evening and she wakes up at six. 2. Yesterday she forgot to

(*de*) wind it up and she awoke at half past seven. 3. She got up at once. 4. She did not wait a minute. 5. She washed her face, neck, and ears with soap and water. 6. She brushed her teeth. 7. She combed and brushed her hair. 8. She brushed her dress. 9. She dressed in (*en*) twenty minutes. 10. She breakfasted in five minutes and then ran to school. 11. She arrived just on time. 12. She was glad (*de*) not to be late. 13. The pupils do not like to be late. 14. The teacher punishes those who are late. 15. The pupils who rise early arrive early at school. 16. Those who remain in bed after (*après que*) the alarm clock has rung arrive late at school. 17. Last year we used to rise at five.

DIX-HUITIÈME DICTÉE

Le lycée où Jean étudie est très grand. Il consiste de plusieurs bâtiments qui sont construits autour d'une grande cour intérieure. Cette cour est subdivisée en plusieurs cours carrées; celle des petits, celle des moyens et celle des grands. Il y a aussi la grande cour des revues où le proviseur fait assembler les élèves quand il a quelque chose de spécial à leur dire.

La porte du bâtiment principal — la grande porte d'entrée — est réservée aux visiteurs, au proviseur et au censeur parce que c'est dans ce bâtiment que se trouvent les parloirs et les appartements de ces messieurs. Les professeurs et les élèves entrent par la porte à gauche. Toutes les salles de classe sont au rez-de-chaussée et donnent sur une cour. Les salles

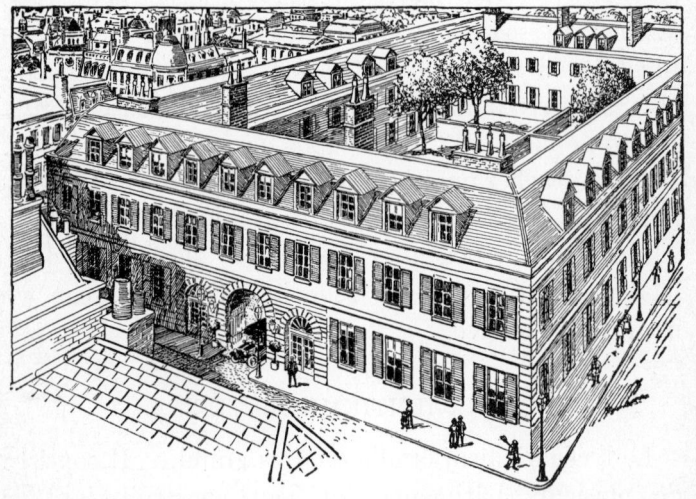

d'étude, les laboratoires et la plupart des dortoirs sont au premier. Au second se trouvent les chambres des domestiques.

C'est un très grand lycée mais il faut qu'il soit grand quand il compte plus de deux mille élèves dont près de mille sont internes.

Questionnaire

1. Le lycée où va Jean est-il petit ? 2. Consiste-t-il d'un seul bâtiment ? 3. Comment le lycée est-il construit ? 4. Où est la cour ? 5. Tous les élèves jouent-ils dans la même cour ? 6. Quelle est la forme des cours ? 7. Quelle est la cour principale ? 8. A quoi sert-elle ? 9. Se sert-on tous les jours de cette cour ? 10. Comment s'appelle le principal d'un lycée ? 11. Comment s'appelle le vice-principal d'un lycée ? 12. Où demeurent ces messieurs ? 13. Pour qui est réservée la grande porte d'entrée ? 14. Pourquoi est-elle réservée au proviseur et au censeur ? 15. Pourquoi est-elle réservée aux visiteurs ? 16. Par où entrent les professeurs et les élèves ? 17. Où sont les salles de classe ? 18. Sont-elles bien placées ? 19. Qu'y a-t-il au premier ? 20. Qu'est-ce que c'est qu'une salle d'étude ? 21. Qu'est-ce que c'est qu'un laboratoire ? 22. Qu'est-ce que c'est qu'un dortoir ? 23. Qu'y a-t-il au second ? 24. Combien d'élèves ce lycée compte-t-il ? 25. Sont-ils tous internes ? 26. En combien de bâtiments votre école consiste-t-elle ? 27. Où est la cour ? 28. Est-elle subdivisée en plusieurs cours plus petites ? 29. Y a-t-il une cour de revue dans votre école ? 30. Où le proviseur fait-il assembler les élèves quand il a quelque chose de spécial à leur dire ? 31. Le proviseur fait-il assembler les élèves seulement quand il a quelque chose de spécial à leur dire ? 32. Y a-t-il plusieurs portes d'entrée dans votre école ? 33. Où est la porte principale ? 34. A qui cette porte est-elle réservée ? 35. Qu'y a-t-il au rez-de-chaussée de votre école ? 36. Qu'y a-t-il au premier ? 37. Combien d'étages votre école a-t-elle ? 38. Combien d'étages a le

lycée? 39. Combien d'élèves votre école compte-t-elle? 40. Y a-t-il des internes et des demi-pensionnaires à votre école?

Écrivez une description de votre école.

le bâtiment, the building
construit, built
subdivisé, subdivided
intérieur, interior
cour de revue, parade grounds
le proviseur, the principal
le censeur, the vice principal
le parloir, the parlor
le rez-de-chaussée, the ground floor
le dortoir, the dormitory
dont, of whom
les portes donnent sur la cour, the doors open out upon the yard

QUARANTE-SIXIÈME LEÇON

espérer, to hope
espérant, hoping
j'espère, I hope, am hoping, do hope
ensuite, afterwards
chacun, each one
avoir soin de, to take care of, be careful of

croire — *Indicatif présent*

(I believe, am believing, do believe, *etc.*)

je crois   nous croyons
tu crois   vous croyez
il croit   ils croient

croyant — *Participe présent*

Conjuguez les verbes **croire** *et* **espérer** *au futur et à l'imparfait.*

Conjuguez la phrase suivante à l'indicatif présent; à l'imparfait et au futur:

J'ai soin de mes affaires (belongings).

Jean a reçu un très beau livre pour sa fête. Il

dit qu'il me le prêtera quand il aura fini de le lire. Ensuite il vous le prêtera. Je crois qu'il le prêtera aussi à son cousin. Oui, je suis sûr qu'il le lui prêtera quand vous aurez fini de le lire. Il a promis à plusieurs de ses amis de le leur prêter aussi. Il est très aimable, n'est-ce pas? J'espère que chacun aura soin du livre et le lui rendra le plus vite possible.

Quand il y a plusieurs pronoms régimes devant le verbe, les pronoms de la première et de la deuxième personne précèdent le pronom de la troisième personne. Quand les deux pronoms sont de la troisième personne, le régime direct précède le régime indirect. Le pronom **en** se place après tous les autres pronoms.

1	2	3	4	5
me, te, se nous, vous	le, la, les	lui, leur	y	en

Récitez les phrases suivantes en y ajoutant les pronoms régimes indirects. Exemple:

il **me le** donne   il **nous le** donne
il **te le** donne   il **vous le** donne
il **le lui** donne   il **le leur** donne
il **le lui** donne   il **le leur** donne

1. Il la montre.
2. Il ne les montre pas.
3. Il l'a apporté.
4. L'apporte-t-il?
5. Il ne les a pas apportés.
6. Il l'a racontée.
7. Le donnera-t-il?
8. Quand le donnera-t-il?
9. Le prête-t-il?
10. Il ne le prête pas.

1. He will give. 2. He will give it. 3. He will give it to you. 4. He will give them to you. 5. He will give them to us. 6. He will not give them to us. 7. He will give them to them. 8. Will he give them to them? 9. We will give it to her. 10. They will give it to him. 11. Did you show her my letter? 12. Why did you show it to her? 13. Did you give the bonbons to your little cousins? 14. When did you give them to them? 15. Charles has returned the books to you. 16. Do you lend them to me now or do you lend them to your cousin? 17. I shall lend them to you. 18. I shall be careful of your books. 19. I lend them to you because you are careful of all things that are not yours. 20. I have asked you for the newspapers and you have not given them to me. 21. I shall give them to you at once.

QUARANTE-SEPTIÈME LEÇON

aux États-Unis, in(to) the United States
natal, native
la république, the republic
le gouvernement, the government
la capitale, the capital
borner, to bound
préférer, to prefer
l'Angleterre *f.*, England
en Angleterre, in(to) England
la France, France
en France, in(to) France
Londres, London
une étude, a study
le théâtre, the theater
une pièce sérieuse, a serious play
une pièce drôle, a funny play
vers 1850, about 1850
les jeunes gens, the young men
j'ai besoin de, I have need of, need

Conjuguez les phrases suivantes:

1. J'ai besoin de quelque chose.
2. Je n'ai besoin de rien.
3. Voilà un crayon; j'en ai besoin.
4. De toutes ces affaires, desquelles aurai-je besoin?

1. Quelle est la plus belle ville des États-Unis? 2. Laquelle est la plus importante? 3. De laquelle parliez-vous quand vous avez dit que c'est là que vous demeurerez quand vous serez riche? 4. Dans quel état est cette ville? 5. Dans lequel est votre ville natale? 6. Quel est l'état le plus grand des États-Unis? 7. Lequel est le plus petit? 8. Duquel parle-t-on le plus? 9. Auquel allait-on vers 1850 chercher de l'or? 10. Quels sont les états bornés par l'Océan Atlantique? 11. Lesquels sont bornés par l'Océan Pacifique?

L'adjectif interrogatif est:

quel? quelle? quels? quelles? which? what?

Le pronom interrogatif est:

lequel? laquelle? lesquels? lesquelles? which (one)?
duquel? de laquelle? desquels? desquelles? of which (one)?
auquel? à laquelle? auxquels? auxquelles? to which (one)?

On emploie ce pronom pour distinguer entre plusieurs personnes ou choses.

Dans le paragraphe suivant remplacez chaque tiret par un adjectif ou un pronom interrogatif.

1. Dans —— pays demeurez-vous? 2. Dans —— demeurent les Français? 3. —— est la ville la plus grande du monde? 4. —— est la plus importante? 5. —— est la capitale des États-Unis? 6. —— est le gouvernement des États-Unis? 7. —— autre pays est une république? 8. Vous parliez d'un livre quand je suis entré; —— parliez-vous? 9. —— de ces jeunes gens le donnerez-vous? 10. —— de ces jeunes filles avez-vous raconté l'histoire? 11. —— de ces jeunes gens parlait-on hier?

1. Of all your studies which do you prefer? 2. Which do you think will be very useful to you when you (will) have left school? 3. Which study is very easy? 4. Which is difficult? 5. Of which one were you speaking with your brother yesterday? 6. Which gardens did you visit when you were in (à) Boston? 7. Of which were your friends speaking last evening? 8. Do you wish to go to the theater? 9. To which one do you wish to go? 10. Which do you prefer, serious plays or funny plays? 11. He wishes to speak to one of the young men. 12. To which one does he wish to speak? 13. He has need of several books. 14. Of which ones has he need? 15. Which do you need to-day? 16. Which will you need to-morrow? 17. Does your father need

anything? 18. No, thank you, he needs nothing.
19. There are two automobiles in front of the house;
which one is yours? Which one is the better?
20. Which of my pupils were late this morning?
21. Which ones are always early?

DIX-NEUVIÈME DICTÉE

Jean arrive au lycée quelques minutes avant l'heure. Il rejoint ses camarades qui s'assemblent devant la porte de leur salle de classe. Pour entrer ils attendent le roulement du tambour et l'arrivée du professeur. La première classe est de huit à neuf heures, la deuxième de neuf heures cinq à dix heures cinq, et la troisième de dix heures vingt à onze heures vingt. Après chaque classe les élèves se précipitent dans la cour pour se dégourdir les jambes. A onze heures et demie Jean monte à la salle d'étude faire ses devoirs sous la direction du répétiteur. Il profite beaucoup de ces heures d'étude. Il n'a pas les distractions qu'il avait chez lui: les amis, le petit frère, etc. Certainement il aimerait à sortir, il aimerait à être libre jusqu'à deux heures, mais le bachot! C'est l'année prochaine que Jean subira ses premiers examens pour le baccalauréat et il sait combien ils sont difficiles. Il sait qu'il y a seulement la moitié des élèves qui réussissent à les passer. Et Jean pioche.

Questionnaire

1. Jean arrive-t-il de bonne heure au lycée? 2. Entre-t-il tout de suite dans la salle de classe? 3. Qu'attend-il pour y entrer? 4. Dans un lycée qu'est-ce qui annonce le commencement et la fin des classes? 5. Quelle est la durée de chaque classe? 6. Les classes se suivent-elles sans intervalle? 7. Que font les élèves pendant les entre-classes? 8. Combien de classes y a-t-il le matin? 9. Combien y en a-t-il l'après-midi? 10. Quelle est la durée des entre-classes? 11. Après la dernière classe du matin que font les élèves? 12. Le professeur surveille-t-il la salle d'étude? 13. Pourquoi Jean étudie-t-il mieux au lycée que chez lui? 14. Quand il voit sortir les externes, qu'aimerait-il à faire? 15. Jean est-il sérieux? 16. Qu'est-ce qui montre qu'il est sérieux? 17. A quoi pense-t-il? 18. Quand Jean subira-t-il ses premiers examens pour le baccalauréat? 19. Quand subira-t-il ses derniers examens pour le baccalauréat? 20. En quelle classe Jean sera-t-il quand il subira les premiers examens pour le baccalauréat? 21. En quelle classe sera-t-il quand il subira le deuxième examen? (en philosophie) 22. Comment Jean sait-il que ces examens sont difficiles? 23. Au lieu de se décourager que fait-il?

il rejoint, he rejoins
le roulement du tambour, the rolling of the drum
se précipiter, to rush
se dégourdir les jambes, to stretch one's legs, limber up
la distraction, diversion
le baccalauréat } the bachelor's
le bachot } degree
libre, free, at liberty
il subira, he will undergo
la moitié, the half
piocher, to dig, work hard
la durée, the length, duration
la fin, the end
se suivent-elles? do they follow each other?
l'entre-classes, intermission

QUARANTE-HUITIÈME LEÇON

un roman, a novel
un chapitre, a chapter
un volume, a volume
une langue, a language
le maroquin, morocco leather
la casquette, the cap
le mari, the husband
la bataille, the battle
le colonel, the colonel

blessé, wounded
instruit, learned
chaud, warm, hot
froid, cold
italien, italienne, Italian
espagnol, Spanish
relier, to bind
magnifique, magnificent
le régiment, the regiment

la marchandise, merchandise, goods

Monsieur B. est un homme très instruit. Il parle plusieurs langues. Il a des livres français, anglais, italiens et espagnols. Il a des romans excellents et il a une histoire de France très intéressante. Il m'a prêté cette histoire qui est en dix-huit volumes. Les volumes sont très beaux; ils sont reliés en maroquin rouge. Pendant la saison froide quand je suis assis le soir dans ma chambre chaude, je lis chaque soir quelques chapitres de cet ouvrage excellent.

On place généralement après leur nom,

1. les adjectifs de couleur,
2. les adjectifs de nationalité,
3. les adjectifs **froid** et **chaud**,
4. les adjectifs de plus de deux syllabes,
5. deux ou plusieurs adjectifs qui modifient le même nom.

Formez des phrases dans lesquelles vous emploierez

1. un adjectif de nationalité,
2. un adjectif de couleur,
3. un adjectif de plusieurs syllabes,
4. deux ou plusieurs adjectifs qui modifient le même nom,
5. l'adjectif **froid** ou **chaud**.

1. Do you want some cold water or some hot water? 2. I wish to wash my hands; please bring me some warm water. 3. I want to show you some magnificent lace that I bought in the little store near your home. 4. Did you buy it in the little French store? 5. That French lady sells excellent goods which are not dear. 6. She sells Italian laces which are far more beautiful than those I saw in the large stores. 7. Her husband is a very learned and interesting man. 8. One day he told us the story of his faithful and brave dog. 9. The dog's master was a French soldier who had been wounded in battle. 10. The dog seized his master's cap and ran with the cap to the colonel of the regiment. 11. The colonel went with the dog and found the tired and wounded soldier. 12. He gave him some cold water. 13. The soldier was the French lady's husband. 14. The poor man lost a leg in that battle. 15. He works now for the French government.

QUARANTE-NEUVIÈME LEÇON

une **avenue**, an avenue
un **boulevard**, a boulevard
une **maison d'appartements**, an apartment house
un **ouvrier**, a workman
heureusement, fortunately
jamais, ever
ne . . . jamais, never
habile, skillful

Jean est grand; Henri est plus grand que lui, et Charles est le plus grand des trois.

Charles est très grand; Henri est moins grand que lui, et Jean est le moins grand des trois.

Ces cerises sont bonnes; celles-là sont meilleures, mais celles-ci sont les meilleures de toutes.

On forme le superlatif d'un adjectif en mettant l'article défini devant le comparatif.

Positif	*Comparatif*	*Superlatif*
petit	plus petit	le plus petit
	moins petit	le moins petit
bon	meilleur	le meilleur
	moins bon	le moins bon

Comparez les adjectifs suivants:

| fidèle | bon | sérieux |
| habile | instruit | drôle |

Regardez cette jeune fille; *c'est* la plus instruite *du* village. Les deux petits garçons qui lui parlent sont très pauvres; *ce sont* les plus pauvres *de* la rue.

Devant un superlatif on dit **c'est, ce sont** au lieu de il (elle) est, ils (elles) sont.

On emploie la préposition **de** après le superlatif.

Lisez les phrases suivantes avec l'adjectif d'abord au positif, puis au comparatif et ensuite au superlatif. — *Exemple:* Ils sont braves; ils sont plus braves que nous; **ce sont** les plus braves de tous.

1. Il est fidèle.
2. Elle est instruite.
3. Ils sont habiles.
4. Elles sont drôles.
5. Il est sérieux.
6. Elle est sérieuse.

1. Look at that apartment house. 2. It is the highest in the city. 3. It is much higher than the one which is in our street. 4. Fortunately it is on a wide avenue. 5. Have you ever seen the boulevards of Paris? 6. They are the widest and most beautiful in the world. 7. On the boulevards there are beautiful stores, the most beautiful in Paris. 8. That workman is very skillful. 9. He is more skillful than his friend. 10. He is very serious also. 11. He is the best workman in the village. 12. Everybody likes him and gives him work. 13. That young man is his brother Charles. 14. He is the youngest in the family. 15. He will succeed because he likes to (à) work. 16. He gets up very early every morning and goes to work with his brother. 17. They are now working in that hotel, which is the best in the city.

VINGTIÈME DICTÉE

A midi et demi le roulement du tambour annonce le déjeuner. Les élèves mettent vivement cahiers et livres dans leurs pupitres et descendent au réfectoire en bon ordre sous la conduite du maître d'étude.

Le réfectoire est une très grande salle d'une propreté remarquable. Au lieu de parquet il y a des carreaux de pierre blanche qu'on lave tous les jours. Toute la longueur de la salle il y a des rangées de tables de marbre lavées après chaque repas. Le déjeuner est bon et les appétits sont excellents. Il y a de la viande, deux légumes, du fromage, du pain à discrétion et il y a une bouteille de vin pour tous les quatre garçons. Comme les élèves ont grand'soif, ils sont obligés de mettre beaucoup d'eau dans leur vin ce qui leur donne de l'*abondance*. Généralement il n'y a pas de dessert parce que quand il y a du dessert il n'y a pas de fromage. Les garçons aiment beaucoup le dessert, mais ceux qui ont bon appétit préfèrent le fromage parce qu'avec le fromage on mange du pain.

Questionnaire

1. A quelle heure les lycéens déjeunent-ils? 2. Où déjeunent-ils? 3. Qu'est-ce qui annonce l'heure du déjeuner? 4. Les lycéens se précipitent-ils dans le réfectoire? 5. Qu'est-ce que c'est qu'un réfectoire? 6. Avant de descendre au réfectoire que font-ils? 7. Comment est le

réfectoire du lycée ? 8. Y a-t-il un parquet dans le réfectoire ? 9. Pourquoi met-on des carreaux dans un réfectoire ? 10. Y a-t-il beaucoup de tables dans le réfectoire ? 11. Comment sont ces tables ? 12. Mange-t-on bien au lycée ? 13. Quand les choses à manger nous semblent-elles bonnes ? 14. Quand nous semblent-elles mauvaises, même quand elles sont excellentes ? 15. Que sert-on aux élèves pour le déjeuner ? 16. Que boivent-ils ? 17. Qu'est-ce que c'est que l'abondance ? 18. Combien de vin y a-t-il pour chaque garçon ? 19. Y a-t-il du dessert pour le déjeuner ? 20. Les garçons aiment-ils le dessert ? 21. Lequel préfèrent-ils, le fromage ou le dessert ? 22. Pourquoi ? 23. A quelle heure déjeunez-vous ? 24. Où déjeunez-vous quand vous êtes à la maison ? 25. Qu'est-ce qui annonce l'heure du déjeuner à votre école ? 26. Comment est votre salle à manger ? 27. Y a-t-il des carreaux dans votre salle à manger ? 28. Comment est la table ? 29. Avez-vous bon appétit ? 30. Avez-vous toujours bon appétit ? 31. Que prenez-vous généralement pour votre déjeuner ? 32. Que prenez-vous au petit déjeuner ?

Écrivez une description de votre salle à manger à l'heure du déjeuner.

le réfectoire, refectory, dining hall
la conduite, superintendence
la propreté, cleanliness
un carreau, a floor tile
le repas, the meal
avoir soif, to be thirsty
prenez-vous ? do you take?
la longueur, the length
sembler, to seem
boivent-ils ? do they drink?
le dessert, the dessert
   pain a discrétion, as much bread as one wants
   l'abondance, plenty of water with little wine

CINQUANTIÈME LEÇON

un menteur, an untruthful person, a fibber, liar	**injustement,** unjustly
	malheureusement, unfortunately
la vérité, the truth	
ne ... personne, no one	**c'est bien moi,** it is indeed I
tout à l'heure, just now	**mériter,** to deserve
peut-être, perhaps	**casser,** to break
faisant, making, doing	

faire — *Indicatif présent*

(I make, do; am making, doing; *etc.*)

je fais	nous faisons
tu fais	vous faites
il fait	ils font

A qui est cette casquette? Whose cap is this?
Elle est à moi ⎫
C'est la mienne ⎬ It is mine, it belongs to me.
C'est celle de mon ami, It is my friend's.
A qui sont ces vêtements? Whose clothes are these?
Ce sont les miens, They are mine.
Ce sont ceux de Paul, They are Paul's.

JEANNE (*la bonne*). Henri, est-ce vous qui avez cassé cette chaise?

HENRI. Non, Jeanne, ce n'est pas moi.

JEANNE. N'est-ce pas vous qui jouiez ici tout à l'heure?

HENRI. Non, ce n'est pas moi.

JEANNE. Qui est-ce alors qui jouait ici tout à l'heure?

HENRI. Je pense que c'est Charles qui jouait ici.

Jeanne. Henri, n'est-ce pas votre casquette qui est là, par terre, près de la chaise?

Henri. Non, Jeanne, ce n'est pas la mienne, c'est celle de Charles.

Jeanne. Henri, vous ne dites pas la vérité. Voici votre nom écrit dans la casquette! Vous êtes un petit menteur. Vous accusez Charles d'avoir cassé la chaise quand c'est bien vous qui l'avez cassée. Je ne vous aime plus. Personne n'aime les menteurs. Je vais tout raconter à votre maman. C'est elle qui vous punira et ma foi, vous le méritez bien!

Devant un nom ou un pronom on dit **c'est, ce sont** au lieu de il (elle) est, ils (elles) sont.

c'est moi	c'est nous	est-ce moi?	est-ce nous?
c'est toi	c'est vous	est-ce toi?	est-ce vous?
c'est lui	**ce sont** eux	est-ce lui?	est-ce eux?
c'est elle	**ce sont** elles	est-ce elle?	est-ce elles?

Conjuguez les phrases suivantes:

1. Je fais du bruit.
2. C'est bien moi qui fais ce bruit, c'est bien toi qui fais ce bruit, etc.
3. C'est peut-être moi qui ai cassé la chaise.
4. Je n'accuse personne injustement.
5. Je ne suis pas menteur.
6. J'aime ceux qui disent la vérité.
7. Je n'ai parlé à personne tout à l'heure.

CINQUANTIÈME LEÇON

Récitez la phrase suivante en variant le pronom régime indirect.

1. Personne ne m'a parlé, (personne ne t'a parlé, etc.)

Répondez aux questions suivantes:

1. A qui est ce pupitre? 2. A qui est celui-ci? 3. A qui est celui-là? 4. A qui sont ces livres-ci? 5. A qui sont ceux-là? 6. A qui est cette plume? 7. Qui a été en retard ce matin? 8. Qui est arrivé de très bonne heure? 9. Qui vous a donné vos vêtements? 10. Qui vous réveille tous les matins? 11. Qui vous donne votre déjeuner et votre dîner? 12. Qui vous achète des bonbons? 13. Qui vous punit quand vous désobéissez? 14. Qui vous loue quand vous savez vos leçons?

1. Who lost a book? I; I lost three. 2. Whose book is this? 3. Unfortunately it is not mine; it is Paul's. 4. Here are some other books; look at them. 5. You will find yours perhaps. 6. They are not mine; they are my cousin's. 7. Who is making that noise? Is it you, Henry? 8. No, it is not I. 9. Henry is not truthful; it is he who was making the noise. 10. No one likes Henry because he is not truthful. 11. It is he who accused his brother unjustly. 12. It is not Charles who broke the chair. 13. The maid said: "It is you, Henry, who broke it; here is your cap which I found near the chair." 14. But Henry said: "That is not my cap, it is Charles's."

CINQUANTE ET UNIÈME LEÇON

étudier, obéir, défendre — *Subjonctif présent*

Participe présent: étudi*ant*, obéiss*ant*, défend*ant*

que j'étudi*e*, that I may study	que nous étudi*ions*
que tu étudi*es*	que vous étudi*iez*
qu'il étudi*e*	qu'ils étudi*ent*
que j'obéiss*e*, that I may obey	que nous obéiss*ions*
que tu obéiss*es*	que vous obéiss*iez*
qu'il obéiss*e*	qu'ils obéiss*ent*
que je défend*e*, that I may defend	que nous défend*ions*
que tu défend*es*	que vous défend*iez*
qu'il défend*e*	qu'ils défend*ent*

Le subjonctif présent et le participe présent ont le même radical.

Les terminaisons du subjonctif présent sont:

e	ions
es	iez
e	ent

Récitez le subjonctif présent des verbes suivants:

mériter	lire	rendre
méritant	lisant	rendant
guérir	répondre	rire
guérissant	répondant	riant
écrire	coudre	réussir
écrivant	cousant	réussissant

CINQUANTE ET UNIÈME LEÇON

Avoir et **être** sont irréguliers au subjonctif présent.

que j'aie, that I may have	que nous ayons
que tu aies	que vous ayez
qu'il ait	qu'ils aient
que je sois, that I may be	que nous soyons
que tu sois	que vous soyez
qu'il soit	qu'ils soient

une bonne note, a good mark	**donc,** therefore
pour, in order to, for	**la volonté,** the will
sûr, sure	**se coucher,** to go to bed
la proposition, the clause	**je veux,** I want
subordonné, subordinate	**il veut,** he wants

Notre mère veut que nous ayons une bonne note tous les jours. Pour avoir cette bonne note il faut que nous soyons bien sages et il faut que nous etudiions bien. Il faut aussi que nous arrivions à l'école de bonne heure. Le maître ne veut pas que nous soyons en retard.

L'indicatif exprime la réalité de l'état ou de l'action

Nous sommes ici.   Nous travaillons.

Le subjonctif exprime seulement la possibilité de l'état ou de l'action.

Dans le paragraphe ci-dessus, le verbe **ayons** est au subjonctif parce qu'il exprime la possibilité et non la réalité. Il est possible que nous ayons la bonne note, mais ce n'est pas sûr.

Expliquez l'emploi du subjonctif dans tout le paragraphe ci-dessus.

Le mot subjonctif veut dire subordonné.

On emploie donc le subjonctif dans des propositions subordonnées.

On emploie le subjonctif après le verbe **il faut** et après les verbes qui expriment la volonté.

Il faut que je veut dire *I must*. Comment dit-on *thou must, he must, she must,* etc.?

Conjuguez les phrases suivantes:

1. Il faut que je sois à la maison à deux heures.
2. Il faut que j'aie une bonne note.
3. Il faut que je finisse mon travail.
4. Il ne faut pas que je réponde à cette lettre à présent.
5. Il ne faut pas que j'écrive mes devoirs maintenant.
6. Il faut que j'étudie mes leçons tout à l'heure.
7. Il veut que je sois à l'école à huit heures.
8. Il veut que je finisse tout de suite.
9. Il veut que je me couche à neuf heures.

Répondez aux questions suivantes:

1. A quelle heure faut-il que vous vous leviez? 2. A quelle heure faut-il que vous vous couchiez? 3. A quelle heure faut-il que vous quittiez la maison pour arriver à l'école de bonne heure? 4. A quelle heure faut-il que vous arriviez à l'école? 5. Jusqu'à quelle heure faut-il que vous restiez à l'école? 6. Que faut-il que vous fassiez (do) pour réussir à l'école? 7. Que faut-il que vous fassiez pour rendre vos parents heureux? 8. Que désirent nos parents?

1. Our mother wants us to stay at home to-day, because we have many things to (à) do. 2. We must write our exercises, we must study our lessons, and we must answer our letters. 3. We must also read the important articles in the newspaper, because our history teacher wants us to answer all his questions on the war. 4. There is also our English teacher, who wants us to read one good book every month. 5. If we want a good mark we must read a book. 6. Here is a very interesting book that I want you to read. 7. You must not begin it (in) the evening, because you will not go to bed before twelve o'clock. 8. My mother does not wish me to read such books. 9. You must not accuse your friend unjustly and he must not accuse you. 10. You do not want the teacher to punish him and he does not want the teacher to punish you.

VINGT ET UNIÈME DICTÉE

Après le déjeuner vient la grande récréation, puis deux heures de classe suivies d'un léger goûter de pain et de chocolat ou de pain et de fruits. Ensuite il y aura récréation jusqu'à cinq heures, puis deux heures d'étude, après lesquelles Jean rentrera dîner à la maison. C'est une longue journée, il est vrai, mais Jean est bien content. Il a beaucoup appris et il s'est bien amusé; tous ses devoirs sont faits pour le lendemain et surtout il a le sentiment qu'il sera bien préparé quand arrivera le moment des examens. Pensez donc! Il aura à subir trois examens écrits, mais ce n'est pas cela qu'il redoute. C'est l'examen oral. Pendant trois quarts d'heure, six professeurs augustes l'interrogeront à tour de rôle sur huit sujets différents. Quelle épreuve! Êtes-vous surpris que Jean désire être élève interne quand il fera sa première et sa philosophie?

Questionnaire

1. Qu'est-ce qui vient après le déjeuner? 2. Combien de classes y a-t-il l'après-midi? 3. A quelle heure dîne-t-on au lycée? 4. Faut-il que les élèves passent plus de six heures sans manger? 5. Que leur donne-t-on pour le goûter? 6. Après le goûter les élèves retournent-ils travailler? 7. A quelle heure retournent-ils travailler? 8. Jean dîne-t-il au lycée? 9. Pensez-vous que les lycéens soient paresseux? 10. Jean est-il mécontent de sa journée? 11. Pourquoi pas? 12. Qu'est-ce qui lui fait surtout plaisir? 13. Quand subira-t-il ses premiers examens pour le baccalauréat? 14. Redoute-t-il ses examens? 15. Combien d'examens aura-t-il à subir? 16. A l'examen oral qui l'interrogera? 17. Sur combien de sujets l'interrogera-t-on? 18. Pour se mieux préparer à une telle épreuve, Jean que désire-t-il faire? 19. Avez-vous des classes l'après-midi? 20. Après les classes que faites-vous? 21. Travaillez-vous aussi longtemps que Jean? 22. A quelle heure vos classes finissent-elles? 23. Goûtez-vous quand vous rentrez après l'école? 24. Que mangez-vous pour le goûter? 25. Quand subirez-vous des examens? 26. Subirez-vous un examen oral aussi bien qu'un examen écrit? 27. Re-

doutez-vous les examens? 28. Aimeriez-vous à être interne dans un lycée?

    une journée, a day
    appris, learned
    le sentiment, the feeling
    redouter, to dread
    auguste, stately, dignified

    à tour de rôle, in turn
    une épreuve, an ordeal
    pensez donc! just think!
    mécontent, dissatisfied
    surtout, above all

CINQUANTE-DEUXIÈME LEÇON

    un espoir, a hope
    le parc, the park
    un malheur, a misfortune
    un paquet, a package
    penser à, to think of

    pleurer, to weep
    sauver, to save
    ramasser, to pick up
    prouver, to prove
    pouvant, being able

pouvoir — *Indicatif présent*

    je puis (peux), I can, am able   **nous pouvons**
    tu peux   **vous pouvez**
    il peut   **ils peuvent**

Conjuguez les phrases suivantes:

1. Je pense à ma mère.
2. Je pense à elle.
3. J'ai perdu tout espoir.
4. Je ramasse les papiers.
5. Je puis sauver cet enfant.
6. Je puis faire un bon paquet.

— Que faites-vous? Vous pleurez! A quoi pensez-vous? Qu'est-ce qui est arrivé? Qu'est-ce qui vous rend triste?

— C'est le petit Paul. Il est bien, bien malade. Il n'y a plus d'espoir de le sauver.

— Comment le savez-vous?
— Je suis allé chez sa mère.
— Qui avez-vous vu?
— J'ai vu son père, sa mère, toute la famille.
— A qui avez-vous parlé?
— J'ai parlé au père.
— Qui a dit qu'il n'y avait plus d'espoir de le sauver?
— C'est le médecin qui l'a dit au père de Paul.
— Quel malheur! Que pouvons-nous faire pour aider ces pauvres malheureux? Il faut que nous trouvions quelque chose. Il faut qu'on sauve le petit Paul.

Liste des pronoms interrogatifs

Pour les personnes

qui? (who) sujet du verbe: **Qui** est là?
qui? (whom) régime du verbe: **Qui** cherchez-vous?
qui? (whom) complément d'une préposition: A **qui** pensez-vous?

Pour les choses

qu'est-ce qui? (what) sujet du verbe: **Qu'est-ce qui** est arrivé?
que? (what) régime du verbe: **Que** dit-il?
quoi? (what) complément d'une préposition: A **quoi** pense-t-il?

Pour distinguer entre plusieurs personnes ou choses

lequel?   **laquelle?**   **lesquels?**   **lesquelles?**   (which?)
duquel?   **de laquelle?**   **desquels?**   **desquelles?**   (of which?)
auquel?   **à laquelle?**   **auxquels?**   **auxquelles?**   (to which?)

        Laquelle de ces dames est votre tante?
        Duquel de ces livres parliez-vous hier?
        Auxquels de ces livres pensiez-vous?

Analysez tous les pronoms interrogatifs dans le passage ci-dessus.

Exemple: **Que** est un pronom interrogatif. Il veut dire **quelle chose?** C'est le régime du verbe **faites**.

Qui est un pronom interrogatif. Il veut dire **quelle personne?** C'est le complément de la préposition **à**.

Remplacez chaque tiret par un adjectif ou par un pronom interrogatif.

1. —— faites-vous ce matin? 2. —— va au parc avec vous? 3. —— de vos sœurs restera à la maison? 4. —— veut aller au théâtre cette après-midi? 5. —— pièce donne-t-on aujourd'hui? 6. De toutes les pièces de Molière —— préférez-vous? 7. —— est arrivé à votre cousin? 8. —— fait-il à présent? 9. De —— a-t-il besoin? 10. —— de vos cousins écrivez-vous le plus souvent? 11. —— cherchez-vous par terre? 12. —— est venu pendant que j'étais au magasin? 13. —— fait ce bruit? 14. —— bruit voulez-vous dire? 15. —— prouve que c'est moi? 16. —— faites-vous à l'école? 17. A —— pensez-vous maintenant? 18. De —— parliez-vous tout à l'heure?

1. What have you done? 2. What is on the table? 3. Who went out? 4. Who is speaking? 5. What is he saying? 6. Of what is he speaking? 7. What are you thinking of? 8. Of whom is he

speaking? 9. Of whom are you thinking? 10. To whom were you speaking? 11. To which of the girls were you speaking? 12. To which of the boys were you speaking? 13. What is in the package? 14. What is on the floor? 15. What did you pick up? 16. What is in the purse? 17. Who lost the purse? 18. What do you need? 19. Whom do you need? 20. What makes you laugh? 21. What makes him laugh? 22. Who is making him laugh?

CINQUANTE-TROISIÈME LEÇON

se souvenir de, to remember
se tromper, to be mistaken
estimer, to esteem
poser, to place
grimper à un arbre, to climb a tree
une pierre, a stone
tout le temps, all the time
cela, that (thing)
tant, so much
frapper, to strike, knock
contre, against
avoir confiance en, to have confidence in, trust

se souvenir—*Indicatif présent*

je me souviens de lui   nous nous souvenons de lui
tu te souviens de lui   vous vous souvenez de lui
il se souvient de lui   ils se souviennent de lui

Conjuguez les phrases suivantes:

1. Je me souviens de cette dame.
2. Je ne me souviens pas d'elle.
3. Je me souviens de cela.
4. Je ne m'en souviens pas.
5. Je me trompe quelquefois.

6. J'ai confiance en eux.
7. Je n'ai pas confiance en lui.
8. Je grimpe aux arbres.

Je suis allé chez le petit Paul ce matin. Il demeure dans cette jolie petite maison qui est toute couverte de vignes. C'est la maison que vous avez tant admirée hier. Vous en souvenez-vous? C'est le père de Paul qui m'a reçu. Monsieur Fortin est un homme que tout le monde estime. C'est un homme en qui tout le monde a confiance. Il m'a raconté ce qui était arrivé. Paul grimpait à un arbre. La branche sur laquelle il avait posé le pied s'est cassée et Paul est tombé. Sa tête a frappé contre une pierre, ce qui est sérieux. Monsieur Fortin m'a raconté ce que le médecin avait dit. Mais il espère quand même sauver son fils. Et moi, aussi, j'espère qu'on le sauvera parce que tout le monde se trompe quelquefois. Alors pourquoi pas les médecins? Voilà à quoi je pensais tout le temps.

Liste des pronoms relatifs

Pour les personnes et les choses

Qui (who, which, that) sujet du verbe.

Exemples: L'homme **qui** parle est mon père.
Les fleurs **qui** sont sur la table sont bien belles.

Que (whom, which, that) régime du verbe.

Exemples: L'homme **que** vous avez vu est mon père.
Les fleurs **que** vous avez achetées sont bien belles.

Pour les personnes seulement

Qui (whom) complément d'une préposition.

Exemple: L'homme à **qui** vous avez parlé est mon père.

Pour les choses seulement

Le pronom anglais *what* est un pronom composé qui veut dire *that which*. *That* est démonstratif et se traduit par **ce**; *which* est relatif et se traduit par **qui** ou **que**.

Ce **qui** (what, that which) quand le pronom relatif est le sujet du verbe.

Exemple: Il dit ce **qui** est vrai.

Ce **que** (what, that which) quand le pronom relatif est le régime du verbe.

Exemple: Dites-moi ce **que** vous avez vu.

Quoi (what) complément d'une préposition.

Exemple: Je sais à **quoi** vous pensez.

Analysez tous les pronoms dans le passage ci-dessus.

Exemple: **Qui** est un pronom relatif sujet du verbe est. Il représente maison.

Remplacez les tirets par des pronoms.

1. Je ne sais —— vous dites. 2. Je ne sais —— est arrivé. 3. La femme —— nous avons entendue chanter, chante bien. 4. Elle a deux sœurs —— chantent bien aussi. 5. Elles ont étudié à Paris sous un maître —— est un grand artiste. 6. Vous n'aurez pas —— vous avez demandé. 7. Vous avez demandé des choses —— sont trop chères. 8. Les choses —— vous avez demandées ne sont pas utiles. 9. Il faut

que vous demandiez —— est utile.   10. —— est utile n'est pas toujours beau.   11. Je ne sais de —— ils parlent.   12. Dites-moi à —— vous pensiez tout à l'heure.   13. Vous êtes une personne en —— tout le monde a confiance.

1. Tell me whom you are thinking of.   2. Tell me what you are thinking of.   3. I do not know what he is doing.   4. Tell me what is in that package. 5. Tell us what you have done to-day.   6. You cannot guess what I found.   7. I found a purse; guess what was in the purse.   8. Did you notice the ladies who were speaking to me just now?   9. They are my cousins who live in the country.   10. It is their house that I admire so much.   11. It is they who are rich and generous.   12. They are persons in whom I have confidence.   13. We have confidence in you.

VINGT-DEUXIÈME DICTÉE

Voici deux ans que Jean est interne au lycée. Il couche maintenant dans un long dortoir où il y a quinze lits parallèles de chaque côté de la salle. A côté de chaque lit il y a un petit tapis et sur le mur à côté du lit il y a un crochet où l'élève suspend ses vêtements pour la nuit.   A part les lits, les tapis et les crochets, il n'y a rien dans le dortoir.   Les lavabos sont dans la salle à côté, où chaque élève a le sien avec place pour ses articles de toilette et un crochet pour sa serviette.

C'est à cinq heures que le premier roulement du tambour réveille les garçons, ce qui leur donne une bonne heure d'étude avant le premier déjeuner. C'est à sept heures du matin qu'on déjeune au lycée et c'est à sept heures du soir qu'on y dîne. Ceux qui se préparent aux grands examens, au concours d'admission aux grandes écoles, étudient après le dîner jusqu'à neuf heures et demie, l'heure du coucher.

Jean étudie beaucoup; il se prépare pour l'École normale. Pour y entrer il faut être boursier de l'État. Il faudra donc que Jean concoure avec les lycéens de toute la France. Jean est un des meilleurs élèves de sa classe et ses professeurs pensent qu'il réussira.

Questionnaire

1. Combien de temps y a-t-il que Jean est interne au lycée? 2. Où couche-t-il à présent? 3. Combien de lits y a-t-il dans le dortoir où il couche? 4. Y a-t-il d'autres meubles dans le dortoir? 5. Où les élèves mettent-ils leurs vêtements? 6. Où se lavent-ils? 7. Y a-t-il beaucoup de lavabos dans cette salle? 8. Les élèves que gardent-ils dans le lavatoire? 9. A quelle heure les élèves se lèvent-ils au lycée? 10. Déjeunent-ils aussitôt qu'ils sont habillés? 11. A quelle heure se couchent-ils? 12. Après le dîner les élèves sont-ils libres? 13. Quels sont les élèves qui étudient après le dîner? 14. Jean étudie-t-il après le dîner? 15. Quelle est son ambition? 16. Est-ce que tout le monde peut entrer à l'École normale? 17. Est-il facile d'obtenir une bourse à l'École normale? 18. Pour-

quoi les professeurs pensent-ils que Jean réussira? 19. Couchez-vous dans un dortoir? 20. Où gardez-vous vos articles de toilette? 21. Où suspendez-vous vos vêtements? 22. A quelle heure vous réveillez-vous? 23. Qu'est-ce qui vous réveille? 24. Déjeunez-vous aussitôt que vous êtes habillé? 25. Étudiez-vous avant le déjeuner? 26. A quelle heure dînez-vous? 27. Étudiez-vous après le dîner? 28. Quand vous vous préparez à un examen étudiez-vous beaucoup? 29. Quand vous aurez fini votre cours à cette école, avez-vous l'intention d'aller au collège? 30. Essaierez-vous d'obtenir une bourse? 31. Est-il facile d'obtenir des bourses? 32. Pourquoi pas?

Écrivez une composition sur la vie journalière d'un interne dans un lycée français.

le tapis, the rug
à part, except
un lavabo, a washstand
une serviette, a towel
un concours, a competitive examination
une bourse, a scholarship
concourir, to compete
il faudra que Jean, John will have to
le lavatoire, the lavatory
obtenir, to obtain
essayer, to try
    un boursier, a holder of a scholarship

CINQUANTE-QUATRIÈME LEÇON

remporter un prix, to win a prize
depuis, since
intelligent, bright
présenter, to introduce (a person)
remercier de, to thank for
recommander, to recommend
admirable, admirable
chaudement, warmly
un article, an article
une idée, an idea
une qualité, a quality
l'héroïne, the heroine
le talent, the talent
la facilité, the ease
    faire la connaissance de, to become acquainted with

Conjuguez les phrases suivantes:
1. Voilà l'homme dont j'ai fait la connaissance.
2. Je le présente à mes amis.
3. Je le remercie du joli cadeau.
4. Je l'en remercie.
5. J'ai remporté le prix.

Mon cher Ami,

Le jeune homme dont vous m'avez tant parlé et que vous m'avez si chaudement recommandé la dernière fois que nous nous sommes vus est mon secrétaire depuis un mois. Je suis très content de lui. C'est un jeune homme dont les idées sont excellentes. Je suis surpris de voir la facilité avec laquelle il fait tout. Il a des qualités dont il peut être fier et il a reçu une éducation dont ses parents peuvent être fiers. J'aurai du plaisir à faire la connaissance de ses parents auxquels il va me présenter demain.

Vous m'avez rendu un grand service et je vous en remercie bien sincèrement.

Bien à vous,

JEAN LEROUX.

Suite des pronoms relatifs

Pour les personnes et les choses

lequel, laquelle, lesquels, lesquelles, whom, which
  dont,   dont,   dont,   dont, whose, of whom, of which
auquel, à laquelle, auxquels, auxquelles, to whom, to which

CINQUANTE-QUATRIÈME LEÇON

Le pronom relatif **lequel** s'emploie principalement comme complément d'une préposition.

Exemples: Voilà la dame avec **laquelle** je parlais tout à l'heure.
Voilà le magasin **dont** je vous ai parlé.
Voilà les hommes **auxquels** je désire parler.
Voilà l'homme **dont** le fils est estimé de tous.
Voilà la dame **dont** j'ai recommandé le fils.

Dans la proposition subordonnée introduite par **dont** il faut que les mots soient toujours dans l'ordre naturel, — **sujet, verbe, régime.**

Remplacez les tirets par des pronoms relatifs.

1. Voilà l'homme pour —— je travaille. 2. Quelle est la dame avec —— vous parliez? 3. Où sont les enfants pour —— vous avez préparé la surprise? 4. Voici la personne à —— je désire vous présenter. 5. C'est la personne —— je désire faire la connaissance. 6. C'est la personne —— nous avons parlé si souvent. 7. C'est une personne —— tout le monde parle avec admiration. 8. C'est elle —— le fils est un officier dans la marine. 9. C'est elle —— le mari est mort sur le champ de bataille. 10. C'est lui —— tous les journaux ont loué le courage. 11. Voilà le monsieur —— je désire m'adresser pour trouver du travail. 12. Je pense qu'il peut vous donner —— vous désirez. 13. C'est un homme —— tout le monde estime.

1. Will you lend me the novel of which you were speaking yesterday? 2. It is the book of which every-

body is talking, is it not? 3. Have you the newspaper in which you saw the article about (*sur*) the book? 4. The heroine is a woman whose courage is admirable. 5. Look at that little girl; she is the child whose mother is so ill. 6. Her mother is the woman who works for me. 7. She has children who are very bright. 8. It is her daughter who won the first prize. 9. She is a young girl whose talents every one admires. 10. She is the girl with whom my cousins used to play when they were small. 11. The woman has been very unfortunate. 12. It is she whose husband died suddenly last winter. 13. He was a skillful workman and a man whose courage and patience every one admired.

VINGT-TROISIÈME DICTÉE

C'est aujourd'hui le grand jour. Les compositions du concours général commencent. A six heures du matin les lycéens partent sous la conduite du maître d'étude pour la Sorbonne, — l'Université de France. Chaque élève a un filet jeté sur son épaule dans lequel il a mis d'un côté un dictionnaire et de l'autre du pain et un morceau de saucisson avec une demi-bouteille de vin.

A sept heures précises les portes de la Sorbonne s'ouvrent. Tous les élèves se précipitent dans la salle du concours. Au fond il y a les juges, tous professeurs de grand renom. Des deux côtés de la salle il y a de longues rangées de tables auxquelles chacun prend place.

Et maintenant il y a un grand silence. Un des juges se lève pour dicter le sujet de la composition. Quittons Jean en ce moment et souhaitons-lui bonne chance. Il le mérite, car il a beaucoup travaillé.

Questionnaire

1. Où les lycéens subissent-ils les grands examens? 2. Que portent-ils sur l'épaule? 3. Qu'y a-t-il dans le filet? 4. A quoi servira le dictionnaire? 5. A quelle heure faut-il arriver à la Sorbonne pour le concours? 6. Où se trouvent les juges? 7. Qui sont les juges? 8. Où les élèves prennent-ils place? 9. Pourquoi y a-t-il silence tout à coup? 10. Pourquoi ne resterons-nous pas avec Jean jusqu'à la fin? 11. Lui souhaitez-vous bonne chance? 12. Pourquoi mérite-t-il bonne chance? 13. Aimeriez-vous étudier dans un lycée français? 14. En quoi le lycée diffère-t-il de votre école? 15. Quelles sont les choses à admirer dans un lycée? 16. Y a-t-il des choses que vous n'aimez pas dans le lycée?

Discussion générale.

une composition, a theme; a written examination
un filet, a net
une épaule, a shoulder
un saucisson, a sausage

un juge, a judge
le renom, the renown
souhaiter, to wish
la chance, the luck
mériter, to deserve

précis, précise, exact

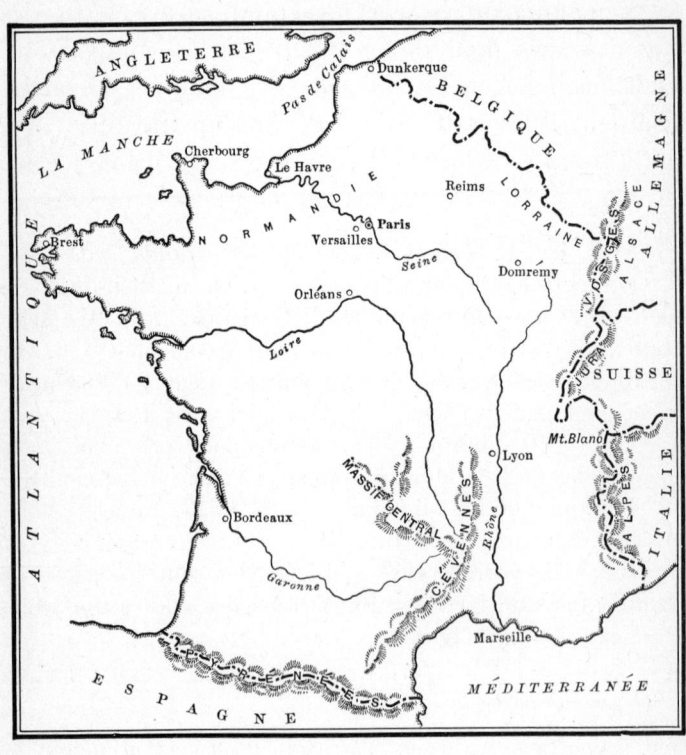

LE PAYS DE FRANCE

I

La France est un très beau pays situé à l'ouest de l'Europe. Elle est beaucoup plus petite que les États-Unis. Elle pourrait y danser à l'aise. Elle est même un peu plus petite que le Texas. La France est petite comparée aux États-Unis, mais elle n'est pas petite comparée à la plupart des pays de l'Europe. Elle est plus grande que l'Angleterre, que l'Italie, que l'Espagne.

Elle est plus petite que le Texas, mais elle a une population bien plus grande. C'est parce que la France est un très vieux pays. Pensez donc, elle a plus de deux mille ans! La France a près de quarante millions d'habitants.

Questionnaire

1. Où la France est-elle située? 2. Quel autre pays est situé à l'ouest de l'Europe? 3. La Russie est-elle située à l'ouest de l'Europe? 4. Comparée aux États-Unis, la France est-elle un petit ou un grand pays? 5. Comparée à la Russie, est-elle un petit ou un grand pays? 6. Comparée à l'Espagne? 7. Comparée à l'Italie? 8. Comparée à l'Angleterre? 9. Pourrait-elle danser à l'aise dans les États-Unis? 10. Dans quel autre pays pourrait-elle danser à l'aise? 11. Pourrait-elle danser à l'aise dans l'Espagne? 12. Comparée au Texas, la France a-t-elle une

petite population ? 13. Pourquoi la France a-t-elle une population bien plus grande que celle du Texas ? 14. Quelle est la population de la France ? 15. Quel âge a la France ? 16. Quel âge avez-vous ? 17. Quel âge a votre frère ? votre sœur ?

un pays, a country	**même,** even
situé, situated	**un peu,** a little
l'ouest, *m.*, the west	**l'Espagne,** *f.*, Spain
pourrait, could	**vieux, vieille,** old
à l'aise, comfortably	**pensez donc !** just think
les États-Unis, the United States	**la Russie,** Russia
comparé à, compared with	**l'Angleterre,** *f.*, England

II

La France est bornée au nord par la Manche, le Pas de Calais et la Belgique ; à l'est par l'Allemagne, la Suisse et l'Italie ; au sud par la Méditerranée et l'Espagne et à l'ouest par l'Océan Atlantique.

La Manche et le Pas de Calais séparent la France de l'Angleterre. Cherchez la Manche sur la carte. Regardez sa forme. Comme elle est large à l'ouest et comme elle est étroite à l'est ! Exactement comme la manche d'un habit ou d'une robe, n'est-ce pas ? Voilà pourquoi elle s'appelle la Manche. Cherchez le Pas de Calais sur la carte. Comme la France est près de l'Angleterre, à cet endroit ! Un seul pas et un géant serait en Angleterre. Est-ce à cause de cela qu'on appelle ce détroit le Pas de Calais ? Je pense que oui.

Questionnaire

1. Par quoi la France est-elle bornée au nord? 2. Par quoi est-elle bornée au sud? 3. Par quoi est-elle bornée à l'est? 4. Par quoi est-elle bornée à l'ouest? 5. Par quoi les États-Unis sont-ils bornés au sud? à l'est? à l'ouest? au nord? 6. Où est situé l'Océan Atlantique par rapport à la France? 7. Par rapport aux États-Unis? 8. Où est située la Méditerranée par rapport à l'Italie? par rapport à la France? par rapport à l'Espagne? 9. Où est située la Manche par rapport à l'Angleterre? à la France? 10. Pourquoi appelle-t-on ce bras de mer la Manche? 11. Où est le Pas de Calais? 12. Pourquoi appelle-t-on ce détroit le *Pas* de Calais? 13. Qu'est-ce qui sépare la France de l'Angleterre? 14. Qu'est-ce qui sépare les États-Unis de la France? 15. Combien de manches avez-vous à votre robe? à votre habit? 16. Avez-vous les manches longues ou courtes?

borner, to bound
le nord, the north
la Manche, the English Channel
la manche, the sleeve
le Pas de Calais, Straits of Dover
la Belgique, Belgium
l'est, *m.*, east
l'Allemagne, *f.*, Germany
la Suisse, Switzerland
le sud, south
la Méditerranée, the Mediterranean
le pas, the step
séparer, to separate
la carte, the map
étroit, narrow
exactement, exactly
elle s'appelle, it is called
le bras, the arm
la mer, the sea
un endroit, a place
le géant, the giant
à cause de cela, because of that
un détroit, a strait
je pense que oui, I think so

III

Dans la France il y a plusieurs chaînes de montagnes qui sont très hautes. A l'est il y a les Vosges, le Jura et les Alpes; au sud il y a le Massif central, les Cévennes et les Pyrénées. Les Pyrénées séparent la France de l'Espagne. Le Jura sépare la France de la Suisse et les Alpes séparent la France de l'Italie. Les Alpes sont les montagnes les plus hautes de la France, et le Mont Blanc est la montagne la plus haute des Alpes. Il a près de cinq mille mètres. Pensez donc, près de cinq mille mètres! Aimeriez-vous monter au sommet du Mont Blanc? Beaucoup de touristes vont voir le Mont Blanc et quelques touristes montent jusqu'au sommet. Ne pensez-vous pas qu'ils sont braves? Il faut deux jours pour y monter et longtemps avant d'arriver au sommet on rencontre des neiges éternelles.

Questionnaire

1. Y a-t-il beaucoup de montagnes en France? 2. Dans quelle partie de la France se trouvent les montagnes? 3. Dans quelle partie de la France n'y a-t-il pas de montagnes? 4. Quelles chaînes de montagnes y a-t-il à l'est de la France? au sud? 5. Dites exactement où se trouvent les Vosges? les Alpes? les Cévennes? les Pyrénées? 6. Où se trouve le Jura? le Massif central? 7. Quelles sont les montagnes les plus hautes de la France? 8. Quelle est la montagne la plus haute des Alpes? 9. Comment appelle-

t-on les personnes qui vont voir des pays étrangers par curiosité? 10. Y a-t-il beaucoup d'étrangers qui vont voir le Mont Blanc? 11. Y a-t-il beaucoup de touristes qui montent jusqu'au sommet du Mont Blanc? 12. Quelle est la hauteur du Mont Blanc? 13. Combien de temps faut-il pour monter jusqu'au sommet du Mont Blanc? 14. De quelle couleur est le sommet du Mont Blanc? 15. Pourquoi est-il blanc? 16. Rencontre-t-on les neiges éternelles seulement au sommet du Mont Blanc? 17. Nommez quelques chaînes de montagnes aux États-Unis 18. Quelles sont les montagnes les plus hautes des États-Unis? 19. Où se trouvent-elles?

la chaîne, the chain
la montagne, the mountain
le mètre, the meter (*39 inches*)
la hauteur, the height
le sommet, the summit
le touriste, the tourist
monter, to climb, go up
il faut deux jours, it takes two days

rencontrer, to meet
la neige, the snow
éternel, éternelle, eternal
vont voir, go to see
un étranger, a foreigner
la curiosité, curiosity
les montagnes Rocheuses, Rocky Mountains

IV

La France a quatre grands fleuves: le Rhône, la Garonne, la Loire et la Seine. Elle a, en outre, un grand nombre d'autres rivières navigables dont quelques-unes se jettent dans la mer et d'autres dans les grands fleuves. Elle a aussi construit un grand nombre de canaux.

Tous ces cours d'eau rendent la terre très fertile. Aussi la France est-elle, avant tout, un pays agricole.

Plus de la moitié de la population cultive la terre. La France, cependant, est aussi un des premiers pays industriels. Plus d'un quart de la population travaille à toutes sortes d'industries. Les fleuves, les rivières et les canaux facilitent le transport de tous les produits et de toutes les manufactures de la France d'une partie du pays à l'autre.

Questionnaire

1. La France est-elle riche en fleuves? 2. Combien en a-t-elle? 3. Quels autres cours d'eau a-t-elle? 4. Quelle est la différence entre un fleuve et une rivière? 5. Quelle est la différence entre une rivière et un canal? 6. Qu'est-ce que c'est qu'une rivière navigable? 7. Dans quoi se jettent les fleuves? 8. Dans quoi se jettent les rivières? 9. La France est-elle fertile? 10. Qu'est-ce qui la rend fertile? 11. Quelle est l'occupation de la plus grande partie de la population de la France? 12. Quelle est l'occupation de beaucoup d'autres Français? 13. Alors quelle sorte de pays est la France? 14. Qu'est-ce que c'est qu'un pays agricole? 15. Qu'est-ce que c'est qu'un pays industriel? 16. En quoi les fleuves, les rivières et les canaux sont-ils utiles à la France?

le fleuve, the river (*long and deep*)
la rivière, the river
en outre, besides
quelques-uns, some
se jettent, empty
construit, constructed
un cours, a stream

agricole, agricultural
la moitié, half
cependant, however
industriel, industrial
une industrie, an industry
faciliter, to facilitate
le transport, transportation
le produit, the produce

la terre, the earth

V

Le climat de la France est bien doux, mais il est très varié. Au sud il fait beaucoup plus chaud qu'au nord. Sur les côtes de la Manche et de l'Atlantique, il y a beaucoup de pluie mais peu de neige et peu de grands froids. Au centre de la France il fait bien chaud l'été et bien froid l'hiver. Et au midi il fait un temps sec et chaud pendant presque toute l'année.

Au nord il y a de riches pâturages, des vergers et de grandes plaines bien cultivées. Dans les pâturages on élève des vaches et des moutons. Les vaches fournissent le lait avec lequel on fait le beurre et le fromage. Les moutons fournissent la laine avec laquelle on fait le beau drap, la belle flanelle et les jolis tapis français. C'est avec les pommes des vergers qu'on fait le bon cidre.

Questionnaire

1. Pourquoi dit-on souvent "la douce France"? 2. Le climat de la France est-il partout le même? 3. Dans quelle partie de la France fait-il froid? 4. Fait-il froid dans cette partie de la France toute l'année? 5. Où fait-il chaud pendant presque toute l'année? 6. Quel temps fait-il sur les côtes de la Manche et de l'Atlantique? 7. Où fait-il très sec? 8. Où y a-t-il beaucoup de pluie? 9. A quoi servent les pâturages? 10. Pourquoi élève-t-on des vaches? 11. Que fait-on avec le lait? 12. Pourquoi élève-t-on des

moutons? 13. Que fait-on avec la laine? 14. Dans quelle saison porte-t-on des vêtements de laine? 15. A quoi servent les vergers?

le climat, the climate	**le verger,** orchard
doux, douce, mild	**la plaine,** the plain
varié, varied	**élever,** to raise
la côte, the coast	**la vache,** the cow
la pluie, the rain	**le mouton,** the sheep
un été, a summer	**fournir,** furnish
un hiver, a winter	**le fromage,** cheese
le midi, the south	**la laine,** wool
sec, sèche, dry	**le drap,** cloth
pendant, during	**la flanelle,** flannel
presque, almost	**le tapis,** the carpet, rug
le pâturage, pasture-land	**le cidre,** cider

V (*suite*)

Dans la **région** du nord on cultive aussi le blé, la betterave et le lin. Avec le blé on fait le pain; la betterave nous donne du sucre; et c'est avec le lin qu'on fait la dentelle et la toile. Avec la toile on fait le linge de table,—la nappe, la serviette; le linge de cuisine,—le tablier, le torchon; le linge de lit,—le drap de lit, la taie d'oreiller; et le linge de corps,—la chemise, la blouse, le jupon.

Dans la région centrale on cultive surtout la vigne, une des plus grandes richesses de la France, parce que c'est avec le raisin qu'on fait le vin. Au midi, où il fait chaud, on cultive l'olivier et le mûrier; l'olivier à cause de l'huile qu'on extrait des olives, et le mûrier à cause de ses feuilles qui nourrissent les vers à soie. La France est le premier pays du monde pour la manufacture de la soie.

Questionnaire

1. Que cultive-t-on dans les plaines du nord? 2. A quoi sert le blé? la betterave? le lin? 3. Quelle est la différence entre la toile et le linge? 4. Nommez quatre sortes de linge. 5. En quoi consiste le linge de table? le linge de lit? le linge de cuisine? le linge de corps? 6. Que cultive-t-on dans la région centrale de la France? 7. Pourquoi la vigne est-elle une des plus grandes richesses de la France? 8. Pourquoi les Français aiment-ils et honorent-ils Pasteur? 9. Que cultive-t-on au midi de la France? 10. Pourquoi cultive-t-on l'olivier? 11. Pourquoi cultive-t-on le mûrier? 12. Quelle est une des plus grandes industries de la France? 13. Que fait-on avec la soie?

le blé, wheat
la betterave, beet
le lin, flax
la toile, linen (*material*)
le linge, linen (*made up*)
la nappe, tablecloth
la serviette, napkin
le torchon, dishcloth
le drap de lit, sheet
la taie d'oreiller, pillowcase
la blouse, blouse, smock
le jupon, petticoat
la richesse, wealth, source of wealth
le raisin, grapes
le vin, wine
un olivier, olive tree
une olive, an olive
le mûrier, mulberry tree
une huile, an oil
nourrir, to nourish
on extrait, one extracts
un ver à soie, a silkworm
la soie, silk
la vigne, the vine

VI

La France possède beaucoup de villes qui sont importantes à cause de leur commerce, de leur industrie, de leur intérêt historique ou de leurs monuments d'art. Le Havre, situé sur la Manche à l'embouchure de la Seine, est une grande ville de commerce. C'est de là que partent les grands bateaux transatlantiques qui font le service entre la France et New-York. A l'extrémité nord-ouest de la France, tout à fait au bout de la terre, se trouve Brest, un des ports militaires les plus importants de la France. Aussi la ville est elle remplie d'officiers de la marine et de matelots.

Descendons la côte atlantique jusqu'à la Garonne, remontons le fleuve et bientôt nous trouverons Bordeaux, une des villes industrielles les plus actives de la France. Bordeaux fait un commerce très important avec l'étranger. Marseille, qui est à l'embouchure du Rhône, est le principal port de mer sur la Méditerranée et fait un commerce immense d'importation et d'exportation avec l'Orient et l'Afrique. Sur le Rhône, à cent cinquante milles de la Méditerranée, nous trouverons la ville de Lyon, renommée pour ses belles étoffes de soie, de satin et de velours.

Encore plus au nord et un peu à l'ouest nous trouverons la ville de Reims, fameuse hier à cause de sa cathédrale, aujourd'hui, à cause des ruines de cette cathédrale où ont été sacrés tous les rois de France.

Questionnaire

1. Nommez quatre grands ports de mer français. 2. Quel port de mer est situé sur la Méditerranée? 3. Lequel est situé sur la Manche? 4. Lequel est à l'embouchure de la Garonne? 5. Quelle ville est située à l'embouchure du Rhône? à l'embouchure de la Seine? 6. Où est la ville de Brest? 7. Pourquoi Brest est-il important? 8. Quelle sorte de gens rencontre-t-on dans les rues de Brest? 9. Pourquoi Bordeaux est-il important? 10. Avec quels pays la ville de Marseille fait-elle un grand commerce? 11. Pourquoi y a-t-il beaucoup d'Américains qui connaissent le Havre? 12. Nommez deux villes qui sont à l'intérieur de la France. 13. Laquelle des deux est la plus importante? 14. Pourquoi? 15. Pourquoi la ville de Reims est-elle intéressante? 16. Quelles sont les villes françaises qui sont importantes à cause de leur commerce? à cause de leur industrie? à cause de leur intérêt historique? à cause de leurs monuments d'art?

elle possède, it possesses
un intérêt, an interest
historique, historical
une embouchure, mouth of a river
le bateau, the boat
une extrémité, an extremity
tout à fait, entirely
le bout, the end
militaire, military
rempli de, filled with
le matelot, the sailor
remonter, to go up

bientôt, soon
l'Orient, *m.*, the East
l'Afrique, *f.*, Africa
le mille, the mile
une étoffe, material
le velours, velvet
le satin, satin
fameux, fameuse, famous
la cathédrale, the cathedral
une ruine, a ruin
sacrer, to crown
le roi, the king

VII

Et maintenant il ne nous reste plus qu'une ville à visiter et celle-là nous l'avons gardée pour la bonne bouche. Ai-je besoin de vous dire laquelle? Non, vous le savez, n'est-ce pas? C'est Paris, Paris, capitale de la France et la plus belle ville du monde. Quelqu'un a dit: "Il n'y a qu'un Paris, il n'y a jamais eu qu'un Paris, et il n'y aura jamais qu'un Paris;"—et tous les Parisiens le croient. Beaucoup d'étrangers le croient aussi, je pense, puisqu'il y a tout un quartier, et un grand, qui est habité par les étrangers.

Paris est admirablement situé sur la Seine. Ce joli fleuve serpente dans Paris, se divise et se rejoint à deux reprises, formant deux jolies îles au cœur de Paris. Sur une de ces îles s'élève la majestueuse et gracieuse cathédrale, Notre Dame de Paris. De nombreux ponts, quelques-uns légers et gracieux, d'autres massifs et majestueux relient les rives de la Seine. Mais il faudrait tout un volume pour raconter les beautés de Paris.

Questionnaire

1. Combien de villes nous reste-t-il à visiter? 2. Quelle est cette ville? 3. Est-elle la moins importante des villes françaises? 4. Pourquoi n'avons-nous pas commencé par elle? 5. Quelle sorte de ville est Paris? 6. Qu'est-ce qu'une certaine personne a dit de Paris? 7. Le croyez-vous? 8. Qui le croit? 9. Comment savons-nous que beaucoup d'étrangers aiment Paris? 10. Dans quelle

partie de la France se trouve Paris ? 11. Est-il bien situé ?
12. Qu'est-ce qui rend la Seine si pittoresque ? 13. Combien de fois la Seine se divise-t-elle et se rejoint-elle ? 14. En se divisant et en se rejoignant que forme-t-elle ? 15. Quel beau monument d'art s'élève sur une de ces îles ? 16. Comment s'appelle la cathédrale de Paris ? 17. Est-elle belle ?
18. Qu'est-ce qui relie les rives de la Seine ? 19. Tous les ponts de Paris se ressemblent-ils ? 20. Est-il facile de raconter toutes les beautés de Paris ?

il *ne* reste *plus qu'*un, there remains *but* one
la bonne bouche, last and best bit
avoir besoin de, to need
ne . . . que, only, but
le Parisien, the Parisian
il faudrait, it would take
croient, believe
puisque, since
un quartier, a quarter
admirablement, admirably
la rive, the bank
serpenter, to wind

se diviser, to divide
se rejoint, joins again
à deux reprises, at two different times
une île, an island
le cœur, the heart
majestueux, majestueuse, majestic
gracieux, gracieuse, graceful
nombreux, nombreuse, numerous
léger, légère, light
massif, massive, massive
relier, to join

VII (*suite*)

On dit aussi que Paris est le cerveau de la France. C'est parce que tous les grands hommes de la France, tous les artistes, tous les hommes de lettres et tous les hommes de science vont à Paris pour étudier ou pour finir leurs études. On y trouve l'Université de France, l'École des Beaux-Arts et beaucoup d'autres écoles, connues dans le monde entier. La France, généreuse, ouvre toutes grandes, les portes de ses écoles aux étrangers et elle offre de nombreuses bourses à tous ses enfants sans fortune qui désirent apprendre. L'ouvrier parisien travaille avec amour et voilà pourquoi on trouve partout ces beaux objets d'art, — ce travail fini et caressé qui fait l'admiration de tout le monde.

Questionnaire

1. Pourquoi dit-on que Paris est le cerveau de la France? 2. Nommez quelque grand homme de science français. 3. Connaissez-vous quelque grand artiste français? 4. Connaissez-vous quelque grand homme de lettres français? 5. Pourquoi les artistes, les hommes de lettres et de science vont-ils à Paris? 6. Où les hommes de lettres et de science finissent-ils leurs études? 7. Où les artistes étudient-ils? 8. La France est-elle généreuse envers les étrangers? 9. Est-elle généreuse envers ses enfants? 10. L'ouvrier parisien aime-t-il son travail? 11. Quelle sorte de travail fait-il? 12. Qui admire son travail? 13. Pourquoi l'ouvrier parisien réussit-il à faire des objets d'art? 14. Peut-on réussir si on n'aime pas son travail?

le cerveau, the brain
un homme de lettres, a man of letters
connu, known
entier, entière, entire
généreux, généreuse, generous
une bourse, scholarship
apprendre, to learn
un ouvrier, a workman
le travail, work
amour, love
partout, everywhere
un objet d'art, a work of art
connaissez, know
envers, toward

VIII

La France est une république. Elle est divisée en quatre-vingt-six départements et chaque département est subdivisé en plusieurs arrondissements. Le président de la république est élu pour sept ans par le Sénat et la Chambre des Députés. Chaque arrondissement envoie à Paris pour le représenter un ou plusieurs députés, selon sa population. Ce sont les départements qui élisent les sénateurs. Il y a environ six cents députés et trois cents sénateurs qui représentent la France et ses colonies à Paris.

La France possède beaucoup de colonies dont les plus importantes sont l'Algérie, le Madagascar et l'Indo-Chine française. L'Algérie est un très beau pays situé au nord de l'Afrique sur la côte de la Méditerranée. On y cultive le blé, la vigne, l'olivier, le figuier, l'oranger, le bananier et le dattier.

Questionnaire

1. Quel est le gouvernement de la France? 2. Comment la France est-elle divisée? 3. Comment s'appelle le chef d'une république? 4. Par qui le président de la France est-il élu? 5. Pour combien de temps est-il élu? 6. Où le président de la France demeure-t-il? 7. Comment la France est-elle représentée? 8. Combien de sénateurs y a-t-il? 9. Combien de députés y a-t-il? 10. Qui élit les députés? 11. Qui élit les sénateurs? 12. Les colonies

françaises sont-elles représentées à Paris? 13. La France a-t-elle beaucoup de colonies? 14. Nommez ses colonies les plus importantes. 15. Où l'Algérie est-elle située? 16. Que cultive-t-on en Algérie? 17. Avec quelle ville de France l'Algérie fait-elle un grand commerce? 18. Quel est le gouvernement des États-Unis? 19. Comment les États-Unis sont-ils divisés? 20. Pour combien de temps le président des États-Unis est-il élu? 21. Où le président des États-Unis demeure-t-il?

la république, the republic
le département, the department
subdiviser, to subdivide
un arrondissement, a district
élire, to elect
élu, elected
le Sénat, the Senate
la Chambre des Députés, the House of Representatives
selon, according to
le député, the deputy
le sénateur, the senator
la colonie, the colony
l'Algérie, Algeria
l'Indo-Chine, Indo-China
le figuier, the fig tree
un oranger, an orange tree
le bananier, the banana tree
le dattier, the date tree

CHOIX DE LECTURES

JEANNE D'ARC

Il y a environ cinq cents ans qu'une petite fille appelée Jeanne d'Arc naquit dans le petit village de Domremy situé à l'est de la France. Jeanne était la troisième fille d'un laboureur; elle avait aussi deux frères.

Tandis que les autres enfants allaient avec le père travailler aux champs, Jeanne restait à la maison pour aider sa mère. Elle cousait et faisait le ménage.

C'était une jeune fille forte et belle qui ne savait ni lire ni écrire. On disait d'elle que c'était la meilleure fille du village: elle allait beaucoup à l'église, elle soignait les malades et elle donnait généreusement aux pauvres.

C'était un jour d'été. Il était midi et Jeanne était au jardin. Tout à coup elle crut voir du côté de l'église une lumière éblouissante, et il lui sembla entendre une voix qui disait: « Jeanne, soyez bonne et sage; allez souvent à l'église. » Jeanne eut grand'peur.

Une autre fois, elle entendit encore la voix. Elle vit encore la lumière éblouissante, et cette fois elle vit aussi de nobles figures dont l'une avait des ailes. La voix dit: « Jeanne, allez au secours du roi de France et rendez-lui son royaume. » Elle répondit toute tremblante: « Messire, je ne suis qu'une pauvre fille; je ne sais pas monter à cheval; je ne sais pas conduire les soldats. » La voix répondit: « Sainte Catherine et sainte Marguerite vous aideront. »

Celui qui lui avait parlé était l'archange saint Michel

Jeanne pleura. Mais saint Michel revint et lui rendit courage. Il lui parla de la grande détresse de la France, — de la France envahie par les étrangers; du dauphin qui n'avait pas encore été sacré roi de France.

Et Jeanne était heureuse à la pensée d'aider la France parce qu'elle était bonne et douce. Mais elle pleurait aussi et non sans raison, car il fallait quitter sa famille et son village. Il fallait aller parmi les soldats, conduire les soldats, — il fallait aller à la guerre. Et son père ne le voulait pas! Pauvre Jeanne! il fallait désobéir ou à son père ou aux voix célestes. Mais les voix célestes furent les plus fortes et Jeanne partit.

Tout d'abord on n'eut pas confiance en Jeanne. Cette jeune fille des champs qui disait que le Roi du ciel l'envoyait délivrer la France, était-elle inspirée ou était-elle sorcière? On ne voulait pas la conduire auprès du roi. Mais les habitants d'Orléans que les Anglais assiégeaient et qui avaient grand'faim, réclamaient hautement le secours merveilleux que leur général leur avait promis. Et le roi la reçut.

Il la reçut un soir dans un grand salon bien éclairé et rempli de seigneurs et de chevaliers, tous curieux de voir la sorcière ou l'inspirée. Le roi se mêla exprès à la foule. Il espérait déconcerter la jeune fille. Mais Jeanne ne se déconcerta pas. Elle alla droit à Charles, se mit à genoux et lui dit: « Gentil dauphin, je suis Jeanne d'Arc. Le Roi du ciel vous fait dire par moi que vous serez sacré roi dans la ville de Reims. Donnez-moi une armée, car j'ai mission de sauver Orléans. » Quelqu'un objecta: « Si c'est le plaisir de Dieu que les Anglais s'en aillent dans leur pays, vous n'avez pas besoin d'armée. » Elle répondit: « Les soldats combattront et Dieu donnera la victoire. » Le roi lui donna des hommes.

C'était un beau spectacle de voir Jeanne dans son armure blanche, sur son beau cheval noir, au côté une petite hache et l'épée de sainte Catherine. Elle portait à la main un étendard blanc sur lequel était représenté Dieu avec le monde dans ses mains; à droite et à gauche il y avait deux anges qui tenaient chacun une fleur de lis, — la fleur de France.

Elle entra un soir dans la ville d'Orléans avec des vivres. Elle avança très lentement, car tout le monde voulait au moins toucher son cheval.

Les Anglais occupaient une douzaine de forts qu'il fallait prendre. En quelques jours on en prit plusieurs. Le plus fort restait, et il fallait de grands efforts pour le prendre. Quand une première fois les Français commençaient à faiblir, Jeanne sauta dans le fossé pour les entraîner. Elle fut blessée à l'épaule, mais elle ne voulut pas partir. Une deuxième fois elle toucha le mur avec son étendard et dit: « Entrez, tout est à vous. » Et en effet les Anglais abandonnaient tout, — artillerie, prisonniers et malades.

Jeanne avait accompli la première partie de sa mission; il lui restait la seconde. Elle avait hâte d'en finir pour retourner à Domremy reprendre sa vie tranquille d'autrefois. Enfin on se mit en route pour Reims. On était nombreux au départ, mais tout le long de la route d'autres gens arrivaient grossir le nombre. C'était une vraie croisade.

On arriva à Reims et Charles fut sacré roi avec beaucoup de pompe. Toutes les cérémonies furent accomplies. Charles VII se trouva le vrai et le seul roi de France. Au moment où le roi fut sacré, Jeanne se mit à genoux et dit: « O gentil roi, maintenant est fait le plaisir de Dieu qui m'ordonnait de faire lever le siège d'Orléans et de vous faire sacrer dans votre ville de Reims. »

Jeanne avait raison; elle avait fait et fini ce qu'elle avait à faire. Hélas, que ne retourna-t-elle tout de suite à Domremy ! Malheureusement elle resta à combattre encore pour le roi. Elle fut prise et brûlée comme sorcière par les Anglais, elle, Jeanne d'Arc, le sauveur de la France.

UN GRAND SAVANT

Pasteur

Peu de noms sont aussi justement célèbres que celui de Pasteur. Dans l'ordre de la science, le XIXe siècle n'en a pas de plus grand; il n'en a pas, je puis dire, de meilleur. Vous-mêmes, enfants, vous devez le retenir et l'aimer. Car Louis Pasteur a été votre ami; il a travaillé utilement pour vous, pour vos parents, pour toutes les générations d'hommes qui vivront. Toutes les gloires ne sont point faites ainsi de services rendus. Lui, par chacune de ses découvertes, a servi les hommes, directement; il a trouvé des méthodes et des remèdes qui ont conservé et qui conserveront beaucoup d'existences humaines; il a protégé d'immenses richesses nationales.

N'avez-vous pas entendu parler des infiniment petits appelés microbes, qui sont les agents d'une foule de maladies? Pasteur les étudia et les combattit. Pensez à la puissance d'esprit et à la patience qu'il faut pour lutter contre des ennemis si mystérieux et si nombreux! Il reconnut le microbe de la rage et composa un sérum qui préserva d'abord des animaux mordus par des chiens enragés. Puis il osa essayer le traitement sur un homme. Jusqu'à lui, il n'y avait pas de remède.

Un matin, il vit arriver à son laboratoire un petit garçon de neuf ans. L'enfant se rendait à l'école de son village, raconta sa mère, quand il fut assailli et terrassé par un chien qui lui fit quatorze blessures. Il pouvait à peine marcher, tant il souffrait, le jour où il se présenta devant Pasteur. Celui-ci, tremblant comme s'il avait été le père de l'enfant, résolut de faire une première inoculation avec le sérum qui avait sauvé des animaux, mais qui pouvait tuer les humains. Le petit Joseph supporta, sans même pleurer, cette première piqûre, puis les autres. Il dormait toute la nuit, tandis que Pasteur ne dormait pas. Après vingt jours, il repartait pour sa province et le terrible mal n'avait pas éclaté.

Depuis lors, c'est-à-dire depuis 1885, les inoculations contre la rage se pratiquent dans le monde entier, et ont sauvé des milliers de personnes. Pasteur a de même découvert des moyens de combattre la maladie qui fait tant de ravages parmi les moutons et les bœufs, et aussi la maladie des vers à soie, celle du vin, celle de la bière.

Quand on représentait à Pasteur qu'il s'exposait, en manipulant tous les jours tant de germes mortels, il répondait: « Eh! qu'importe? La vie au milieu du danger, c'est la vraie vie, c'est la grande vie, c'est la vie du sacrifice, c'est la vie de l'exemple, celle qui féconde! »

Ses découvertes, sa probité scientifique, la dignité de sa vie, son désintéressement, — car Pasteur ne voulut point tirer un profit personnel de ses inventions dont une seule aurait pu faire sa fortune, — valurent au savant français une gloire incomparable. Toutes les nations adoptèrent ses méthodes, célébrèrent son nom, et reconnurent la noblesse de la France, dans ce fils d'un tanneur.

Extrait de La Douce France par René Bazin

LA JEUNESSE D'UN GRAND PEINTRE

Jean-François Millet

Je veux vous raconter la jeunesse d'un paysan qui fut un homme d'un haut esprit, et l'un des plus grands peintres du XIXe siècle.

Il était Normand, mais Normand de la falaise, et il naquit en 1814 dans un village près de Cherbourg. Enfance magnifique! Elle eut trois maîtres qui tous trois la firent sérieuse, et préparèrent la noblesse de l'homme, — la terre qu'il travaillait, la mer qu'il regardait en travaillant, et une famille chrétienne.

Le père était un homme grave qui avait le don de comprendre la nature. Il disait à son fils, en prenant un brin d'herbe: « Vois donc comme c'est beau! » ou, en montrant un arbre: « Vois comme cet arbre est bien fait; il est aussi beau qu'une fleur! »

Vous savez qu'aux heures où le soleil commence à monter, les maisons de paysans sont très silencieuses, car les hommes et les bêtes sont partis pour les champs. Dans les lits, les enfants qui sont petits dorment encore. Tous les matins la grand'mère s'approchait du lit de son Jean-François et disait: « Réveille-toi, mon petit François, si tu savais comme il y a longtemps que les oiseaux chantent la gloire du bon Dieu! »

Son grand-oncle emmenait presque toujours avec lui son petit-neveu Jean-François, auquel il avait appris à lire. Ensemble ils travaillaient la terre; le petit faisait comme un jeu ce que le grand vieux faisait pour vivre.

Quand il fut en âge de faire sa première communion, le curé remarqua la belle intelligence de l'enfant et proposa de lui apprendre le latin. Il lui fit traduire très aisément Virgile et la Bible. Et comme ce petit Millet parlait avec beaucoup d'âme de son Virgile et des images de la Bible, et des nuages, et de la mer, le curé du village lui dit: « Ah! mon pauvre garçon, tu as un cœur qui te fera bien souffrir! » Ce qui fut vrai. Mais les cœurs qui souffrent, et qui sont braves, sont les grands cœurs.

Bientôt il fallut abandonner les leçons parce que le père avait besoin de Jean-François pour le travail de la terre. Mais le goût de l'étude ne changea pas. Au retour des champs Jean-François Millet lisait les deux livres que j'ai nommés et aussi les volumes du grand-oncle et de la grand'mère. Quelquefois aussi il dessinait ce qu'il voyait autour de lui.

Un dimanche en rentrant de la messe, Jean-François qui avait alors dix-huit ans, prit un charbon dans la cheminée et dessina, de souvenir, un bonhomme qu'il avait rencontré sur la place. La ressemblance, la vigueur du dessin, révélaient autre chose qu'un goût enfantin de la caricature. Le père rentra à son tour, considéra la feuille de papier, puis son grand fils, et il dit, lui qui parlait rarement: « Mon pauvre François, je vois bien que tu es tourmenté de cette idée-là; j'aurais bien voulu t'envoyer te faire instruire dans ce métier de peintre qu'on dit si beau, mais je ne le pouvais: tu es l'aîné des garçons et j'avais trop besoin de toi; maintenant tes frères grandissent, et je ne veux pas t'empêcher d'apprendre ce que tu as tant envie de savoir. Nous irons bientôt à Cherbourg. »

A Cherbourg le jeune Millet travailla sous la direction d'un homme obscur. Bientôt, ayant obtenu une bourse, il partait pour Paris, où il arriva bien seul, bien triste, effaré à la vue de tant de monde.

Il travailla dans la pauvreté et dans la vaillance, et il devint le plus sûr, le plus émouvant, le plus célèbre des peintres de la vie rurale. Il ne renia jamais ses origines paysannes, sa Normandie, son enfance nourrie de la Bible. Et la grandeur de son œuvre est due, pour une part, à cette fidélité.

Extrait de La Douce France par René Bazin

LE TENEUR DE LIVRES

Assis devant une table chargée de gros livres, le dos tourné à la cheminée, Jacques Ferlac travaille.

Voilà un an qu'il tient les livres de la maison Durand, aux appointements de cent vingt-cinq francs par mois; c'est maigre, d'autant plus que Jacques Ferlac a une fille à élever. Que de privations ne doit-il pas s'imposer pour que la petite ait toujours tout ce qu'il lui faut. Ayant par semaine quelques jours de libres, il a songé à les employer et a cherché une autre maison dont il pourrait tenir les comptes, mais il n'a pas trouvé; d'autres avaient sans doute passé avant lui, ou bien, peut-être, avec sa redingote démodée, son air malheureux, n'a-t-il pas inspiré de sympathie.

Dans le bureau, la pendule sonne lentement les six coups de sa délivrance. Jacques se lève, frotte ses yeux, que la lumière rouge du gaz a fatigués; puis il endosse un pardessus, prend son chapeau, et, posant sa main sur un bouton de verre, ouvre la porte qui le sépare du bureau de son patron.

Et Jacques reste là, hésitant, ayant quelque chose à dire, mais n'osant pas. Tout à coup, prenant son courage à deux mains:

— Monsieur, fait-il bien bas, comme s'il avouait un crime, vous savez, je ne suis pas riche, pourriez-vous m'avancer quelque chose sur mon mois ?

Le patron a froncé le sourcil, mais au fond, c'est un brave homme. Voyant l'air désolé de Jacques :

— D'ordinaire, nous ne faisons pas d'avances; mais je comprends, c'est demain Noël, vous pouvez avoir besoin d'argent; passez à la caisse, on vous donnera, sur votre mois, un compte de cinquante francs, le reste vous sera payé le 31 décembre.

Jacques se confond en remerciements et s'avance au guichet où l'on aligne devant lui trois pièces d'or. Il les prend, les glisse avec précaution dans un porte-monnaie un peu vieux, puis, lentement, il sort du bureau après avoir salué le patron et les employés, ne remarquant pas les sourires ironiques que ces derniers lui adressent.

Arrivé dans la rue, un froid saisissant le pénètre. Il remonte jusqu'à ses oreilles le collet de son pardessus et, le chapeau bien enfoncé sur la tête, les mains dans les poches, serrant amoureusement entre ses doigts le bienheureux porte-monnaie, il s'éloigne à grands pas, jetant de temps à autre un regard sur les belles choses que les magasins étalent sous ses yeux.

Les jouets l'attirent, un surtout. Car, dans une vitrine inondée de lumière, et où des jeux de mille sortes sont réunis, une belle poupée blonde et bouclée, aux longs yeux d'émail, lui sourit, tendant vers lui ses mains pleines de fossettes.

Une hallucination le prend; mais oui, cette poupée ressemble à sa petite Blanche! Oubliant qu'il est pauvre, une envie folle lui prend d'acheter cette poupée, de l'offrir à son enfant.

— Elle doit coûter cher, se dit Jacques à lui-même. Il demeure là, incertain, se demandant s'il va entrer.

La marchande paraît sur le seuil; c'est une vieille dame à la figure respectable et sympathique.

Jacques s'avance, et, timidement, désignant la poupée:

— Pourriez-vous, madame, me dire le prix de ce jouet?

— Entrez, monsieur, je vais vous renseigner.

Jacques pénètre dans le magasin après la marchande; celle-ci ouvre la vitrine, et prenant la jolie blonde, consulte une étiquette verte pendue à son doigt.

— Vingt francs, dit-elle!

Puis comme la figure du pauvre homme exprime la surprise:

— Ce n'est pas cher! Voyez comme elle est belle, elle tourne la tête, ferme les yeux, — et la couchant dans ses bras, elle montre à Jacques ses paupières baissées.

Il regarde, et il lui semble voir sa fille endormie.

Sa main presse désespérément le porte-monnaie.

— Non, fait-il enfin, je ne peux pas, c'est trop cher!

Une telle douleur se lit sur son visage que la vieille dame émue lui demande:

— C'était pour votre fille?

— Oui, madame, et malheureusement je ne suis pas riche. Je suis teneur de livres; n'ayant qu'une maison, j'ai bien du temps à moi. J'en ai bien cherché d'autres, mais voilà, je n'ai jamais eu de chance, je n'ai pas trouvé. Ce que je gagne est peu de chose. Ainsi, pour que la petite ne manque de rien, je porte longtemps le même habit et l'on sourit en me voyant passer; mais cela m'est égal. Une caresse de ma fille me fait oublier ces petites misères. Et, pourvu qu'elle soit heureuse, je suis heureux aussi. C'est demain Noël. Elle aime les jouets, je le sais, ses yeux parlent pour elle, quand nous sortons nous promener, car elle ne me dit rien, la chère mignonne. Elle est bien raisonnable, allez, pour ses huit ans. Elle se rend bien compte de notre situation.

En passant, j'ai vu cette poupée; elle ressemble à ma Blanchette. Tout d'un coup, sans que je sache comment, j'ai eu envie de l'acheter. Ah! madame, si vous pouviez diminuer quelque chose, eh bien! je l'achèterais tout de même, ne voulant pas vous avoir inutilement dérangée.

La marchande l'écoutait, attendrie.

— Prenez-la, dit-elle la voix mal affermie; je vous la cède à prix de revient, pour douze francs, mais ne le dites pas.

Puis cela se trouve à merveille. Vous êtes teneur de livres, et justement j'en cherchais un. Jusqu'à présent, je m'occupais moi-même des écritures de la maison; mais je me fais vieille, j'ai besoin de quelqu'un. Venez quand vous voudrez, et amenez-moi votre fille; j'adore les enfants, je serai heureuse de la connaître. . . . Ah! j'oubliais; vous aurez cent cinquante francs par mois!

— Cent cinquante francs! mon Dieu, avec ce que je gagne déjà, c'est la richesse! Oh! madame! que vous êtes bonne!

Et Jacques Ferlac se mit à pleurer comme un enfant. Le magasin s'emplissait de monde, il partit emportant la poupée; et, peu d'instants après, la joie au cœur, il pénétrait chez lui.

A son arrivée, une charmante fillette de huit ans vint se jeter dans ses bras.

— Comme tu rentres tard! fit-elle.

Soudain ses grands yeux sérieux se fixèrent sur le paquet que tenait son père.

— Tiens! ma Blanchette, fit Jacques en souriant, voici ce que petit Noël m'a remis pour toi!

Elle déplia le paquet; couchée dans une boîte garnie de dentelles, la poupée apparut.

— Ah! père!

Elle n'en dit pas plus long, mais dans son œil attendri, perlait une larme. On voyait que la fillette comprenait.

Entourant le cou de Jacques de ses deux bras, avec mille inflexions de voix plus tendres les unes que les autres:

— Comme tu m'aimes! fit-elle. Mais je t'aime bien aussi, va!

Devant la joie de son enfant, Jacques Ferlac oubliait. Soudain, il se souvint.

— Tu ne sais pas, fit-il, nous allons être riches.

Alors, s'asseyant et la prenant sur ses genoux, il lui apprit comment le petit Noël avait pensé à lui.

Eugène Seymur

LA PIPE DE JEAN BART

Jean Bart était de Dunkerque, pays humide et froid où la pipe est non seulement une compagne mais un poêle. Il était petit-fils et neveu de corsaires, et fut corsaire lui-même jusqu'à l'époque où Louis XIV l'appela dans la marine militaire.

A cette époque, Jean Bart avait déjà quarante et un ans; il était donc trop tard pour qu'il changeât ses habitudes de jeunesse. Cependant, ceux qui voudront y réfléchir, seront parfaitement convaincus que, lorsque Jean Bart alluma sa pipe dans l'antichambre du roi, ce n'était pas par ignorance de l'étiquette de Versailles, mais parce qu'il voulait attirer l'attention sur lui, de manière qu'on fût forcé de le mettre à la porte du palais. Or, comme après tout, il était chef d'escadre et qu'il s'appelait Jean Bart, ce n'était pas chose facile de le mettre à la porte ou d'aller dire à Louis XIV qu'il y avait, porte à porte avec lui, un homme qui fumait.

On savait que Jean Bart venait demander au roi une grâce, — une grâce que le roi avait déjà refusée deux fois. On ne faisait pas parvenir au roi les demandes d'audience de Jean Bart; il fallait que Jean Bart prît le cabinet du roi par surprise.

Jean Bart mit de côté ses fameux habits de drap d'or doublé d'argent, qui faisaient tant de bruit dans les salons de Paris, revêtit son simple costume d'officier supérieur de la marine, passa seulement à son cou la chaîne d'or que le roi lui avait donnée autrefois en récompense de ses exploits, et se présenta à l'antichambre de sa majesté, comme s'il avait sa lettre d'admission.

« Monsieur le capitaine de frégate, » demanda l'officier chargé d'introduire les solliciteurs près du roi; « monsieur le capitaine de frégate, avez-vous votre lettre d'admission? »

« Ma lettre d'admission? » dit Jean Bart; « pourquoi? Je suis, certes, assez bon ami du roi pour qu'il n'y ait pas besoin de toutes ces niaiseries-là entre nous. Dites-lui que c'est Jean Bart qui demande à lui parler, et cela suffira. »

« Du moment où vous n'avez pas de lettre d'admission, » reprit l'officier, « personne ne se permettra de vous annoncer. »

« Bon! si j'ai besoin qu'on m'annonce, pourquoi ne m'annoncerai-je pas moi-même? » Et il s'avança vers la porte de communication.

« On ne passe pas, mon officier, » dit le mousquetaire de faction.

« Est-ce la consigne? » demanda Jean Bart.

« C'est la consigne, » répondit le mousquetaire.

« Respect à la consigne, » dit Jean Bart. Puis s'adossant au mur, il tira une pipe du fond de son chapeau, la bourra de tabac, battit le briquet et l'alluma. Les courtisans le regardaient avec stupéfaction.

« Je vous ferai observer, monsieur le capitaine de frégate, » dit l'officier, « qu'on ne fume pas dans l'antichambre du roi. »

« Alors qu'on ne m'y fasse pas attendre; moi, je fume toujours quand j'attends. »

« Monsieur le capitaine de frégate, je vais être obligé de vous faire sortir. »

« Avant que j'aie parlé au roi ! » dit Jean Bart en riant. « Ah ! je vous en défie bien. »

Et en effet, ce n'était pas, comme nous l'avons dit, chose facile que de mettre Jean Bart à la porte; de deux maux choisissant le moindre, et surtout le moins dangereux, l'officier alla dire au roi: « Sire, il y a dans votre antichambre un officier de marine qui fume, qui nous défie de le faire sortir, et qui nous déclare qu'il entrera malgré nous. » Louis XIV ne se donna pas même la peine de chercher.

« Je parie que c'est Jean Bart, » dit-il. L'officier s'inclina.

« Laissez-le finir sa pipe, » dit Louis XIV, « et faites-le entrer. »

Jean Bart ne finit pas sa pipe; il la jeta dans la cheminée et s'élança vers le cabinet du roi. Mais à peine en eut-il franchi le seuil, qu'il s'arrêta saluant respectueusement Louis XIV.

Jean Bart était arrivé à son but. Il se trouvait en face du roi avec la même adresse qu'il manœuvrait devant les escadres ennemies. Il conduisit la conversation à travers les écueils, les passes, les rochers, où il voulait l'amener; c'est-à-dire qu'ayant commencé par se faire faire force compliments sur sa sortie du port de Dunkerque où il était étroitement bloqué par les Anglais; sur l'incendie de plus de quatre-vingts bâtiments ennemis qu'il brûla en mer; et enfin sur sa descente à Newcastle — il mit un genou en terre devant le roi, et finit par lui demander la grâce de Keyser, son matelot, condamné à mort pour avoir tué son adversaire en duel.

Le roi hésitait, et Jean Bart, que l'amitié fraternelle qu'il portait à Keyser rendait éloquent, pria, adjura, conjura!

« Jean Bart, » dit Louis XIV, « je vous accorde ce que j'ai refusé à Tourville. »

« Sire, » répondit Jean Bart, « mon père, deux de mes frères, vingt autres membres de ma famille, sont morts au service de votre Majesté. Vous me donnez aujourd'hui la vie de mon matelot, je vous donne quittance pour celles des autres. » Et Jean Bart sortit, pleurant comme un enfant, et criant: « Vive le roi! » à tue-tête.

Il fut alors enveloppé par tous les courtisans désireux de faire la cour à un homme qui était demeuré plus d'une demi-heure en audience privée avec Louis XIV, et ne sachant comment sortir de ce cercle vivant qui commençait à l'étouffer, il profita de ce qu'un des courtisans lui demandait:

« Monsieur Jean Bart, comment donc êtes-vous sorti du port de Dunkerque, bloqué comme vous l'étiez par la flotte anglaise? »

« Voulez-vous le savoir? » répondit-il.

« Oui, oui, » s'écrièrent-ils tous en chœur; « cela nous ferait grand plaisir. »

« Eh bien! vous allez voir. Je suis Jean Bart, n'est-ce pas? Vous êtes la flotte anglaise; vous me bloquez dans l'antichambre du roi; vous m'empêchez de sortir. Eh bien, vli! vlan! piff! paff! voilà comment je suis sorti! » Et à chaque exclamation, allongeant un coup de pied ou un coup de poing à celui qui était en face de lui et l'envoyant tomber

sur son voisin, il s'ouvrit un passage jusqu'à la porte.   Arrivé
là: « Messieurs, » dit-il, « voilà comment je suis sorti du
port de Dunkerque. »

Et il sortit de l'antichambre du roi.

Alexandre Dumas

LA CHÈVRE DE MONSIEUR SEGUIN

Monsieur Seguin n'avait jamais eu de bonheur avec ses
chèvres. Il les perdait toutes de la même façon: un beau
matin, elles cassaient leur corde, s'en allaient dans la montagne, et là-haut le loup les mangeait. Ni les caresses de
leur maître, ni la peur du loup, rien ne les retenait. C'étaient,
paraît-il, des chèvres indépendantes, voulant à tout prix le
grand air et la liberté.

Le brave Monsieur Seguin, qui ne comprenait rien au caractère de ses bêtes, était consterné. Il disait, « C'est fini;
les chèvres s'ennuient chez moi, je n'en garderai pas une. »

Cependant il ne se découragea pas, et, après avoir perdu
six chèvres de la même manière, il en acheta une septième;
seulement, cette fois, il eut soin de la prendre toute jeune,
pour qu'elle s'habituât mieux à demeurer chez lui.

Ah! qu'elle était jolie, la petite chèvre de Monsieur
Seguin! Qu'elle était jolie avec ses yeux doux, sa barbiche
de sous-officier, ses sabots noirs et luisants, ses cornes zébrées,
et ses longs poils blancs qui lui faisaient une houppelande,
et puis docile, caressante, se laissant traire sans bouger, sans
mettre son pied dans l'écuelle; un amour de petite chèvre!...

Monsieur Seguin avait derrière sa maison un clos entouré
d'aubépines. C'est là qu'il mit sa nouvelle pensionnaire.
Il l'attacha à un pieu, au plus bel endroit du pré, en ayant
soin de lui laisser beaucoup de corde, et de temps en temps

il venait voir si elle était bien. La chèvre se trouvait très heureuse, et broutait l'herbe de si bon cœur que Monsieur Seguin était ravi. « Enfin, » pensait le pauvre homme, « en voilà une qui ne s'ennuiera pas chez moi. » Monsieur Seguin se trompait, sa chèvre s'ennuya.

Un jour elle se dit en regardant la montagne, « Comme on doit être bien là-haut ! Quel plaisir de gambader dans la bruyère, sans cette maudite corde qui vous écorche le cou ! C'est bon pour l'âne ou pour le bœuf de brouter dans un clos ! Les chèvres, il leur faut du large. »

A partir de ce moment, l'herbe du clos lui parut fade. L'ennui vint. Elle maigrit; son lait se fit rare. C'était pitié de la voir tirer tous les jours sur sa corde, la tête tournée du côté de la montagne, la narine ouverte, et faisant *Mê!* tristement.

Monsieur Seguin s'apercevait bien que sa chèvre avait quelque chose, mais il ne savait pas ce que c'était. Un matin, comme il achevait de la traire, la chèvre se retourna, et lui dit dans son patois, « Écoutez, Monsieur Seguin, je languis chez vous. Laissez-moi aller dans la montagne. »

« Hélas ! Elle aussi ! » cria Monsieur Seguin stupéfait, et du coup il laissa tomber son écuelle; puis, s'asseyant dans l'herbe à côté de sa chèvre, « Comment, Blanquette, tu veux me quitter ? » Blanquette répondit, « Oui, Monsieur Seguin. »

« Est-ce que l'herbe te manque ici ? »

« Oh ! non, Monsieur Seguin. »

« Tu es peut-être attachée de trop court; veux-tu que j'allonge la corde ? »

« Ce n'est pas la peine, Monsieur Seguin. »

« Alors, qu'est-ce qu'il te faut ? Qu'est-ce que tu veux ? »

« Je veux aller dans la montagne, Monsieur Seguin. »

« Mais, malheureuse, tu ne sais pas qu'il y a le loup dans la montagne. Que feras-tu quand il viendra ? »

« Je lui donnerai des coups de corne, Monsieur Seguin. »

« Le loup se moque bien de tes cornes. Il m'a mangé des chèvres autrement encornées que toi. Tu sais bien la vieille Renaude qui était ici l'an dernier ? Une maîtresse chèvre, forte et méchante comme un bouc. Elle s'est battue avec le loup toute la nuit, puis le matin le loup l'a mangée. »

« Pauvre Renaude ! Ça ne fait rien, Monsieur Seguin ; laissez-moi aller dans la montagne. »

« Bonté divine ! » dit Monsieur Seguin. « Mais qu'est-ce qu'on a fait à mes chèvres ? Encore une que le loup va me manger. Eh bien, non ! je te sauverai malgré toi, coquine ; et de peur que tu ne rompes ta corde, je vais t'enfermer dans l'étable, et tu y resteras toujours. »

Là-dessus, Monsieur Seguin emporta la chèvre dans une étable toute noire, dont il ferma la porte à double tour. Malheureusement il avait oublié la fenêtre, et à peine eut-il le dos tourné que la petite s'en alla.

. . . .

Quand la chèvre blanche arriva dans la montagne, ce fut un ravissement général. Jamais les vieux sapins n'avaient rien vu de si joli. On la reçut comme une petite reine. Les châtaigniers se baissaient jusqu'à terre pour la caresser du bout de leurs branches. Les genêts d'or s'ouvraient sur son passage, et sentaient aussi bon qu'ils pouvaient. Toute la montagne lui fit fête.

Vous pouvez juger si notre chèvre était heureuse. Plus de corde, plus de pieu. Rien qui l'empêchât de gambader, de brouter à sa guise. C'est là qu'il y avait de l'herbe ! jusque par-dessus les cornes. Et quelle herbe ! savoureuse, abondante, faite de mille plantes. C'était bien autre chose que le gazon du clos! Et les fleurs donc! De grandes campanules bleues, des digitales de pourpre à longs calices, toute une forêt de fleurs sauvages pleines de sucs doux!

La chèvre blanche, à moitié soûle, se vautrait là-dedans, les jambes en l'air, et roulait le long de la pente, pêle-mêle avec les feuilles tombées et les châtaignes. Puis tout à coup elle se redressait d'un bond sur ses pattes. Hop! la voilà partie, la tête en avant, à travers les buissons, tantôt sur un pic, tantôt au fond d'un ravin, là-haut, en bas, partout. On aurait dit qu'il y avait dix chèvres de Monsieur Seguin dans la montagne.

C'est qu'elle n'avait peur de rien, la Blanquette. Elle franchissait d'un bond de grands torrents qui l'éclaboussaient au passage de poussière humide et d'écume. Alors, toute ruisselante, elle allait s'étendre sur quelque roche plate, et se faisait sécher par le soleil. Une fois s'avançant au bord d'un plateau, une fleur aux dents, elle aperçut en bas, tout en bas dans la plaine, la maison de Monsieur Seguin, avec le clos derrière. Cela la fit rire aux larmes.

« Que c'est petit! » dit-elle. « Comment ai-je pu tenir là-dedans? » Pauvrette! de se voir si haut perchée, elle se croyait au moins aussi grande que le monde.

. . . .

Tout à coup le vent fraîchit. La montagne devint violette; c'était le soir. « Déjà! » dit la petite chèvre, et elle s'arrêta fort étonnée.

En bas, les champs étaient noyés de brume. Le clos de Monsieur Seguin disparaissait dans le brouillard, et de la maisonnette on ne voyait plus que le toit avec un peu de fumée. Elle écouta la clochette d'un troupeau qu'on ramenaît, et se sentit l'âme toute triste. Un oiseau qui rentrait la frôla de ses ailes en passant. Elle tressaillit; puis ce fut un long hurlement dans la montagne: « Hou! Hou! » Elle pensa au loup; pendant tout le jour la folle n'y avait pas pensé. Au même moment une trompe sonna bien loin dans la vallée. C'était ce bon Monsieur Seguin qui faisait un dernier effort.

Blanquette eut envie de rentrer, mais, en se rappelant le pieu, la corde, la haie du clos, elle pensa que maintenant elle ne pourrait se faire à cette vie, et qu'il valait mieux rester.

La trompe ne sonnait plus. La chèvre entendit derrière elle un bruit de feuilles. Elle se retourna, et vit dans l'ombre deux oreilles courtes toutes droites, avec deux yeux qui reluisaient. C'était le loup.

Énorme, immobile, assis sur son train de derrière, il était là, regardant la petite chèvre, et la dégustant par avance. Comme il savait bien qu'il la mangerait, le loup ne se pressait pas; seulement quand elle se retourna, il se mit à rire méchamment. « Ha! ha! la petite chèvre de Monsieur Seguin! » et il passa sa grosse langue rouge sur ses babines noires.

Blanquette se sentit perdue. Un moment, en se rappelant l'histoire de la vieille Renaude, qui s'était battue toute la nuit pour être mangée le matin, elle se dit qu'il vaudrait peut-être mieux se laisser manger tout de suite; puis, s'étant ravisée, elle se mit en garde, la tête basse et la corne en avant, comme une brave chèvre de Monsieur Seguin qu'elle était. Non pas qu'elle eût l'espoir de tuer le loup, — les chèvres ne tuent pas le loup, — mais seulement pour voir si elle pourrait tenir aussi longtemps que la Renaude.

Alors le monstre s'avança, et les petites cornes entrèrent en danse. Ah! la brave chevrette! comme elle y allait de bon cœur! Plus de dix fois, je ne mens pas, elle força le loup à reculer pour reprendre haleine. Pendant ces trêves d'une minute, la gourmande cueillait en hâte encore un brin de sa chère herbe, puis elle retournait au combat, la bouche pleine. Cela dura toute la nuit. De temps en temps la chèvre de Monsieur Seguin regardait les étoiles danser dans le ciel clair, et elle se disait, « Oh! pourvu que je tienne jusqu'à l'aube! »

L'une après l'autre, les étoiles s'éteignirent. Blanquette redoubla ses coups de corne, le loup ses coups de dents. Une lueur pâle parut dans l'horizon. Le chant d'un coq enroué montait d'une métairie. « Enfin, » dit la pauvre bête, qui n'attendait plus que le jour pour mourir, et elle s'allongea par terre dans sa belle fourrure blanche toute tachée de sang. Alors le loup se jeta sur la petite chèvre, et la mangea.

ALPHONSE DAUDET

LA DERNIÈRE CLASSE
(Récit d'un petit Alsacien)

Ce matin-là j'étais très en retard pour aller à l'école, et j'avais grand'peur d'être grondé, d'autant plus que M. Hamel nous avait dit qu'il nous interrogerait sur les participes, et je n'en savais pas le premier mot. Un moment, l'idée me vint de manquer la classe et de prendre ma course à travers les champs. Le temps était si chaud, si clair! On entendait les merles siffler à la lisière du bois, et dans le pré derrière la scierie, les Prussiens faisaient l'exercice.

Tout cela me tentait bien plus que la règle des participes; mais j'eus la force de résister, et je courus bien vite vers l'école. En passant devant la mairie, je vis qu'il y avait du monde arrêté près du petit grillage aux affiches. Depuis deux ans c'est de là que nous sont venues toutes les mauvaises nouvelles, les batailles perdues, les réquisitions, les ordres de la commandature; et je pensai sans m'arrêter, « Qu'est-ce qu'il y a encore? » Alors comme je traversais la place en courant, le forgeron Wachter, qui était là avec son apprenti en train de lire l'affiche, me cria: « Ne te dépêche pas tant, petit, tu y arriveras toujours assez tôt à ton école. »

Je crus qu'il se moquait de moi, et j'entrai tout essoufflé dans la petite cour de M. Hamel. D'ordinaire, au commencement de la classe il se faisait un grand tapage qu'on entendait jusque dans la rue, les pupitres ouverts, fermés, les leçons qu'on répétait très haut tous ensemble en se bouchant les oreilles pour mieux apprendre, et la grosse règle du maître qui tapait sur les tables: « Un peu de silence! » Je comptais sur tout ce bruit pour gagner mon banc sans être vu; mais justement ce jour-là tout était tranquille comme un matin de dimanche. Par la fenêtre ouverte, je voyais mes camarades déjà rangés à leurs places, et M. Hamel, qui passait et repassait avec la terrible règle de fer sous le bras. Il fallut ouvrir la porte et entrer au milieu de ce grand calme. Vous pensez, si j'étais rouge et si j'avais peur.

Eh bien! non. M. Hamel me regarda sans colère et me dit très doucement, « Va vite à ta place, mon petit Frantz; nous allions commencer sans toi. » J'enjambai le banc, et je m'assis tout de suite à mon pupitre. Alors seulement, un peu remis de ma frayeur, je remarquai que notre maître avait sa belle redingote verte, son jabot plissé fin et la calotte de soie noire brodée qu'il ne mettait que les jours d'inspection ou de distribution de prix. Du reste, toute la classe avait quelque chose d'extraordinaire et de solennel. Mais ce qui me surprit le plus, ce fut de voir au fond de la salle, sur les bancs qui restaient vides d'habitude, des gens du village assis et silencieux comme nous, le vieux Hauser avec son tricorne, l'ancien maire, l'ancien facteur, et puis d'autres personnes encore. Tout ce monde-là paraissait triste, et Hauser avait apporté un vieil abécédaire mangé aux bords qu'il tenait ouvert sur ses genoux, avec ses grosses lunettes posées en travers des pages.

Pendant que je m'étonnais de tout cela, M. Hamel était monté dans sa chaire, et de la même voix douce et grave dont il m'avait reçu, il nous dit: « Mes enfants, c'est la dernière fois que je vous fais la classe. L'ordre est venu de Berlin de ne plus enseigner que l'allemand dans les écoles de l'Alsace et de la Lorraine. Le nouveau maître arrive demain. Aujourd'hui c'est votre dernière leçon de français. Je vous prie d'être attentifs. » Ces quelques mots me bouleversèrent. Ah! les misérables, voilà ce qu'ils avaient affiché à la mairie. Ma dernière leçon de français! Et moi qui savais à peine écrire. Je n'apprendrais donc jamais. Il faudrait donc en rester là.

Comme je m'en voulais maintenant du temps perdu, des classes manquées à courir après les nids et à faire des glissades sur la Sarre. Mes livres, que tout à l'heure encore je trouvais si ennuyeux, si lourds à porter, ma grammaire, mon histoire sainte, me semblaient à présent de vieux amis qui me feraient beaucoup de peine à quitter. C'est comme M. Hamel. L'idée qu'il allait partir, que je ne le verrais plus, me faisait oublier les punitions qu'il m'avait infligées. Pauvre homme! C'est en l'honneur de cette dernière classe qu'il avait mis ses beaux habits du dimanche, et maintenant je comprenais pourquoi ces vieux du village étaient venus s'asseoir au bout de la salle. Cela semblait dire qu'ils regrettaient de ne pas y être venus plus souvent, à cette école. C'était aussi comme une façon de remercier notre maître de ses quarante ans de bons services et de rendre leurs devoirs à la patrie qui s'en allait.

J'en étais là de mes réflexions quand j'entendis appeler mon nom; c'était mon tour de réciter. Que n'aurais-je pas donné pour pouvoir dire tout au long cette fameuse règle des participes, bien haut, bien clair, sans une faute! mais je m'embrouillai aux premiers mots, et je restai debout à me balancer dans mon banc, le cœur gros, sans oser lever la tête. J'entendais M. Hamel qui me parlait: « Je ne te gronderai pas, mon petit Frantz, tu dois être assez puni. Voici ce que c'est. Tous les jours on se dit: Bah! j'ai bien le temps, j'apprendrai demain. Et puis tu vois ce qui arrive. Ah! ça a été le grand malheur de notre Alsace de toujours remettre son instruction à demain. Maintenant ces gens-là sont en droit de nous dire: Comment! Vous prétendiez être Français, et vous ne savez ni parler ni écrire votre langue! Dans tout ça, mon pauvre Frantz, ce n'est pas toi qui es le plus coupable. Nous avons tous notre bonne part de reproches à nous faire. Vos parents n'ont pas assez tenu à vous voir instruits; ils aimaient mieux vous envoyer travailler à la terre ou aux filatures pour avoir quelques sous de plus. Moi-même, n'ai-je rien à me reprocher? Est-ce que je ne vous ai pas souvent fait arroser mon jardin au lieu de travailler? Et quand je voulais aller pêcher des truites, est-ce que je me gênais pour vous donner congé? »

Alors, d'une chose à l'autre, M. Hamel se mit à nous parler de la langue française, disant que c'était la plus belle langue du monde, la plus claire, la plus solide, qu'il fallait la garder entre nous, et ne jamais l'oublier, parce que quand un peuple tombe esclave, tant qu'il tient bien sa langue, c'est comme s'il tenait la clef de sa prison. Puis il prit une grammaire, et nous lut notre leçon; j'étais étonné de voir comme je comprenais. Tout ce qu'il me disait me semblait facile. Je crois aussi que je n'avais jamais si bien écouté, et que lui non plus n'avait jamais mis autant de patience à ses explications. On aurait dit qu'avant de s'en aller, le pauvre cher homme voulait nous donner tout son savoir, nous le faire entrer dans la tête d'un seul coup.

La leçon finie, on passa à l'écriture. Pour ce jour-là, M. Hamel nous avait préparé des exemples tout neufs, sur lesquels était écrit en belle ronde: *France, Alsace! France, Alsace!* Cela faisait comme de petits drapeaux qui flottaient autour de la classe, pendus au-dessus de nos pupitres. Il fallait voir comme chacun s'appliquait; et quel silence! On n'entendait rien que le grincement des plumes sur le papier. Un moment des hannetons entrèrent, mais personne n'y fit attention, pas même les tout petits, qui s'appliquaient à tracer leurs *bâtons* avec un cœur, une conscience, comme si cela aussi était du français.

Sur la toiture de l'école, des pigeons roucoulaient tout bas, et je me disais en les écoutant, « Est-ce qu'on ne va pas les obliger à chanter en allemand, eux aussi ? » De temps en temps, quand je levais les yeux de dessus ma page, je voyais M. Hamel, immobile dans sa chaire, et fixant les objets autour de lui, comme s'il avait voulu emporter dans son regard toute sa petite maison d'école.

Pensez! depuis quarante ans, il était là à la même place, avec sa cour en face de lui, et sa classe toute pareille. Seulement les bancs, les pupitres s'étaient polis, frottés par l'usage; les noyers de la cour avaient grandi, et le houblon qu'il avait planté lui-même enguirlandait maintenant les fenêtres jusqu'au toit. Quel crève-cœur ça devait être

pour ce pauvre homme de quitter tout cela, et d'entendre sa
sœur qui allait, venait, dans la chambre au-dessus, en train
de fermer leurs malles! Car ils devaient partir le lendemain,
s'en aller du pays pour toujours!

Tout de même il eut le courage de nous faire la classe
jusqu'au bout. Après l'écriture, nous eûmes la leçon d'histoire; ensuite les petits chantèrent tous ensemble le BA, BE,
BI, BO, BU. Là-bas, au fond de la salle, le vieux Hauser
avait mis ses lunettes, et tenait son abécédaire à deux mains;
il épelait les lettres avec eux. On voyait qu'il s'appliquait,
lui aussi. Sa voix tremblait d'émotion, et c'était si drôle de
l'entendre que nous avions tous envie de rire et de pleurer.
Ah! je m'en souviendrai de cette dernière classe.

Tout à coup l'horloge de l'église sonna midi, puis l'Angelus. Au même moment, les trompettes des Prussiens qui
revenaient de l'exercice éclatèrent sous nos fenêtres. M.
Hamel se leva, tout pâle, dans sa chaire. Jamais il ne
m'avait paru si grand. « Mes amis, » dit-il, « je . . . je »
— mais quelque chose l'étouffait; il ne pouvait pas achever
sa phrase.

Alors il se tourna vers le tableau, prit un morceau de
craie, et, en appuyant de toutes ses forces, il écrivit aussi
gros qu'il put, « VIVE LA FRANCE! » Puis il resta là, la
tête appuyée au mur, et, sans parler, avec sa main, il nous
faisait signe, « C'est fini . . . Allez-vous-en. »

ALPHONSE DAUDET

LA MARSEILLAISE

Allons, enfants de la patrie,
Le jour de gloire est arrivé;
Contre nous de la tyrannie
L'étendard sanglant est levé.   (*bis*)
Entendez-vous dans vos campagnes
Mugir ces féroces soldats ?
Ils viennent jusque dans vos bras
Égorger vos fils, vos compagnes ! . . .
Aux armes, citoyens ! formez vos bataillons !
    Marchons, marchons !
Qu'un sang impur abreuve nos sillons !

Amour sacré de la patrie,
Conduis, soutiens nos bras vengeurs !
Liberté, Liberté chérie,
Combats avec tes défenseurs !   (*bis*)
Sous nos drapeaux que la Victoire
Accoure à tes mâles accents;
Que tes ennemis expirants
Voient ton triomphe et notre gloire !
Aux armes, citoyens ! formez vos bataillons !
    Marchons, marchons !
Qu'un sang impur abreuve nos sillons !

Rouget de Lisle

APPENDICE

LE VERBE

VERBE AUXILIAIRE « AVOIR »

Infinitif

PRÉSENT	PASSÉ
avoir, *to have*	avoir eu, *to have **had***

Participes

PRÉSENT	PASSÉ
ayant, *having*	eu, *had*

Indicatif

TEMPS SIMPLES	TEMPS COMPOSÉS

PRÉSENT
I have, am having, do have

j'ai	nous avons		
tu as	vous avez		
il a	ils ont		

PASSÉ INDÉFINI
I have had, had, did have

j'ai eu	nous avons eu
tu as eu	vous avez eu
il a eu	ils ont eu

IMPARFAIT
I was having, used to have, had

j'avais	nous avions
tu avais	vous aviez
il avait	ils avaient

PLUS-QUE-PARFAIT
I had had

j'avais eu	nous avions eu
tu avais eu	vous aviez eu
il avait eu	ils avaient eu

PASSÉ DÉFINI
I had

j'eus	nous eûmes
tu eus	vous eûtes
il eut	ils eurent

PASSÉ ANTÉRIEUR
I had had

j'eus eu	nous eûmes eu
tu eus eu	vous eûtes eu
il eut eu	ils eurent eu

FUTUR
I shall have

j'aurai	nous aurons
tu auras	vous aurez
il aura	ils auront

FUTUR ANTÉRIEUR
I shall have had

j'aurai eu	nous aurons eu
tu auras eu	vous aurez eu
il aura eu	ils auront eu

Conditionnel

PRÉSENT	PASSÉ
I should have	*I should have had*
j'aurais nous aurions	j'aurais eu nous aurions eu
tu aurais vous auriez	tu aurais eu vous auriez eu
il aurait ils auraient	il aurait eu ils auraient eu

Impératif

aie, *have* (thou)

ayons, *let us have*
ayez, *have* (you)

Subjonctif

PRÉSENT	PASSÉ
that I may have	*that I may have had*
que j'aie que nous ayons	que j'aie eu que nous ayons eu
que tu aies que vous ayez	que tu aies eu que vous ayez eu
qu'il ait qu'ils aient	qu'il ait eu qu'ils aient eu

IMPARFAIT	PLUS-QUE-PARFAIT
that I might have	*that I might have had*
que j'eusse que nous eussions	que j'eusse eu que nous eussions eu
que tu eusses que vous eussiez	que tu eusses eu que vous eussiez eu
qu'il eût qu'ils eussent	qu'il eût eu qu'ils eussent eu

VERBE AUXILIAIRE «ÊTRE»

Infinitif

PRÉSENT	PASSÉ
être, *to be*	avoir été, *to have been*

Participes

PRÉSENT	PASSÉ
étant, *being*	été, *been*

Indicatif

TEMPS SIMPLES	TEMPS COMPOSÉS
PRÉSENT	PASSÉ INDÉFINI
I am, am being	*I have been, was*
je suis nous sommes	j'ai été nous avons été
tu es vous êtes	tu as été vous avez été
il est ils sont	il a été ils ont été

IMPARFAIT

I was being, used to be, was

j'étais	nous étions
tu étais	vous étiez
il était	ils étaient

PLUS-QUE-PARFAIT

I had been

j'avais été	nous avions été
tu avais été	vous aviez été
il avait été	ils avaient été

PASSÉ DÉFINI

I was

je fus	nous fûmes
tu fus	vous fûtes
il fut	ils furent

PASSÉ ANTÉRIEUR

I had been

j'eus été	nous eûmes été
tu eus été	vous eûtes été
il eut été	ils eurent été

FUTUR

I shall be

je serai	nous serons
tu seras	vous serez
il sera	ils seront

FUTUR ANTÉRIEUR

I shall have been

j'aurai été	nous aurons été
tu auras été	vous aurez été
il aura été	ils auront été

Conditionnel

PRÉSENT

I should be

je serais	nous serions
tu serais	vous seriez
il serait	ils seraient

PASSÉ

I should have been

j'aurais été	nous aurions été
tu aurais été	vous auriez été
il aurait été	ils auraient été

Impératif

sois, *be (thou)*

soyons, *let us be*
soyez, *be (you)*

Subjonctif

PRÉSENT

that I may be

que je sois	que nous soyons
que tu sois	que vous soyez
qu'il soit	qu'ils soient

PASSÉ

that I may have been

que j'aie été	que nous ayons été
que tu aies été	que vous ayez été
qu'il ait été	qu'ils aient été

IMPARFAIT

that I might be

que je fusse	que nous fussions
qu tu fusses	que vous fussiez
qu'il fût	qu'ils fussent

PLUS-QUE-PARFAIT

that I might have been

que j'eusse été	que nous eussions été
que tu eusses été	que vous eussiez été
qu'il eût été	qu'ils eussent été

LES VERBES RÉGULIERS

PREMIÈRE CONJUGAISON	DEUXIÈME CONJUGAISON	TROISIÈME CONJUGAISON

Infinitif Présent

to speak	*to finish*	*to sell*
parler	finir	vendre

Participe Présent

speaking	*finishing*	*selling*
parlant	finissant	vendant

Indicatif

Présent

I speak, am speaking, do speak	*I finish, am finishing, do finish*	*I sell, am selling, do sell*
je parle	je finis	je vends
tu parles	tu finis	tu vends
il parle	il finit	il vend
nous parlons	nous finissons	nous vendons
vous parlez	vous finissez	vous vendez
ils parlent	ils finissent	ils vendent

Imparfait

I was speaking, used to speak, spoke	*I was finishing, used to finish, finished*	*I was selling, used to sell, sold*
je parlais	je finissais	je vendais
tu parlais	tu finissais	tu vendais
il parlait	il finissait	il vendait
nous parlions	nous finissions	nous vendions
vous parliez	vous finissiez	vous vendiez
ils parlaient	ils finissaient	ils vendaient

Passé défini

I spoke	*I finished*	*I sold*
je parlai	je finis	je vendis
tu parlas	tu finis	tu vendis
il parla	il finit	il vendit
nous parlâmes	nous finîmes	nous vendîmes
vous parlâtes	vous finîtes	vous vendîtes
ils parlèrent	ils finirent	ils vendirent

APPENDICE

Futur

I shall speak	*I shall finish*	*I shall sell*
je parle**rai**	je fini**rai**	je vend**rai**
tu parle**ras**	tu fini**ras**	tu vend**ras**
il parle**ra**	il fini**ra**	il vend**ra**
nous parle**rons**	nous fini**rons**	nous vend**rons**
vous parle**rez**	vous fini**rez**	vous vend**rez**
ils parle**ront**	ils fini**ront**	ils vend**ront**

Conditionnel
Présent

I should speak	*I should finish*	*I should sell*
je parle**rais**	je fini**rais**	je vend**rais**
tu parle**rais**	tu fini**rais**	tu vend**rais**
il parle**rait**	il fini**rait**	il vend**rait**
nous parle**rions**	nous fini**rions**	nous vend**rions**
vous parle**riez**	vous fini**riez**	vous vend**riez**
ils parle**raient**	ils fini**raient**	ils vend**raient**

Impératif

parle, *speak (thou)*	finis, *finish (thou)*	vends, *sell (thou)*
parlons, *let us speak*	finissons, *let us finish*	vendons, *let us sell*
parlez, *speak (you)*	finissez, *finish (you)*	vendez, *sell (you)*

Subjonctif
Présent

that I may speak	*that I may finish*	*that I may sell*
que je parl**e**	que je finiss**e**	que je vend**e**
que tu parl**es**	que tu finiss**es**	que tu vend**es**
qu'il parl**e**	qu'il finiss**e**	qu'il vend**e**
que nous parl**ions**	que nous finiss**ions**	que nous vend**ions**
que vous parl**iez**	que vous finiss**iez**	que vous vend**iez**
qu'ils parl**ent**	qu'ils finiss**ent**	qu'ils vend**ent**

Imparfait

that I might speak	*that I might finish*	*that I might sell*
que je parl**asse**	que je finiss**e**	que je vend**isse**
que tu parl**asses**	que tu finiss**es**	que tu vend**isses**
qu'il parl**ât**	qu'il fin**ît**	qu'il vend**ît**
que nous parl**assions**	que nous finiss**ions**	que nous vend**issions**
que vous parl**assiez**	que vous finiss**iez**	que vous vend**issiez**
qu'ils parl**assent**	qu'ils finiss**ent**	qu'ils vend**issent**

Infinitif Passé

to have spoken	*to have finished*	*to have sold*
avoir parlé	avoir fini	avoir vendu

Participe Passé

spoken	*finished*	*sold*
parlé	fini	vendu

Indicatif

Passé indéfini

I have spoken, spoke, did speak	*I have finished, finished, did finish*	*I have sold, sold, did sell*
j'ai parlé	j'ai fini	j'ai vendu
tu as parlé	tu as fini	tu as vendu
il a parlé	il a fini	il a vendu
nous avons parlé	nous avons fini	nous avons vendu
vous avez parlé	vous avez fini	vous avez vendu
ils ont parlé	ils ont fini	ils ont vendu

Plus-que-parfait

I had spoken	*I had finished*	*I had sold*
j'avais parlé	j'avais fini	j'avais vendu
tu avais parlé	tu avais fini	tu avais vendu
il avait parlé	il avait fini	il avait vendu
nous avions parlé	nous avions fini	nous avions vendu
vous aviez parlé	vous aviez fini	vous aviez vendu
ils avaient parlé	ils avaient fini	ils avaient vendu

Passé antérieur

I had spoken	*I had finished*	*I had sold*
j'eus parlé	j'eus fini	j'eus vendu
tu eus parlé	tu eus fini	tu eus vendu
il eut parlé	il eut fini	il eut vendu
nous eûmes parlé	nous eûmes fini	nous eûmes vendu
vous eûtes parlé	vous eûtes fini	vous eûtes vendu
ils eurent parlé	ils eurent fini	ils eurent vendu

Futur antérieur

I shall have spoken	*I shall have finished*	*I shall have sold*
j'aurai parlé	j'aurai fini	j'aurai vendu
tu auras parlé	tu auras fini	tu auras vendu
il aura parlé	il aura fini	il aura vendu
nous aurons parlé	nous aurons fini	nous aurons vendu
vous aurez parlé	vous aurez fini	vous aurez vendu
ils auront parlé	ils auront fini	ils auront vendu

Conditionnel

Passé

I should have spoken	*I should have finished*	*I should have sold*
j'aurais parlé	j'aurais fini	j'aurais vendu
tu aurais parlé	tu aurais fini	tu aurais vendu
il aurait parlé	il aurait fini	il aurait vendu
nous aurions parlé	nous aurions fini	nous aurions vendu
vous auriez parlé	vous auriez fini	vous auriez vendu
ils auraient parlé	ils auraient fini	ils auraient vendu

Subjonctif

Passé

that I may have spoken	*that I may have finished*	*that I may have sold*
que j'aie parlé	que j'aie fini	que j'aie vendu
que tu aies parlé	que tu aies fini	que tu aies vendu
qu'il ait parlé	qu'il ait fini	qu'il ait vendu
que nous ayons parlé	que nous ayons fini	que nous ayons vendu
que vous ayez parlé	que vous ayez fini	que vous ayez vendu
qu'ils aient parlé	qu'ils aient fini	qu'ils aient vendu

Plus-que-parfait

that I might have spoken	*that I might have finished*	*that I might have sold*
que j'eusse parlé	que j'eusse fini	que j'eusse vendu
que tu eusses parlé	que tu eusses fini	que tu eusses vendu
qu'il eût parlé	qu'il eût fini	qu'il eût vendu
que nous eussions parlé	que nous eussions fini	que nous eussions vendu
que vous eussiez parlé	que vous eussiez fini	que vous eussiez vendu
qu'ils eussent parlé	qu'ils eussent fini	qu'ils eussent vendu

VERBE CONJUGUÉ AVEC « ÊTRE »

Infinitif

Présent	Passé
rester, *to remain*	être resté, *to have remained*

Participes

Présent	Passé
rest**ant**, *remaining*	resté, *remained*

Indicatif

TEMPS SIMPLES	TEMPS COMPOSÉS

Présent — Passé indéfini

I remain, am remaining do remain | *I have remained, remained, did remain*

je reste	nous restons	je suis resté	nous sommes restés
tu restes	vous restez	tu es resté	vous êtes restés
il reste	ils restent	il est resté	ils sont restés

Imparfait — Plus-que-parfait

I was remaining, used to remain, remained | *I had remained*

je restais	nous restions	j'étais resté	nous étions restés
tu restais	vous restiez	tu étais resté	vous étiez restés
il restait	ils restaient	il était resté	ils étaient restés

Passé défini — Passé antérieur

I remained | *I had remained*

je restai	nous restâmes	je fus resté	nous fûmes restés
tu restas	vous restâtes	tu fus resté	vous fûtes restés
il resta	ils restèrent	il fut resté	ils furent restés

Futur — Futur antérieur

I shall remain | *I shall have remained*

je rester**ai**	nous rester**ons**	je serai resté	nous serons restés
tu rester**as**	vous rester**ez**	tu seras resté	vous serez restés
il rester**a**	ils rester**ont**	il sera resté	ils seront restés

Conditionnel

Présent

I should remain

je resterais	nous resterions
tu resterais	vous resteriez
il resterait	ils resteraient

Passé

I should have remained

je serais resté	nous serions restés
tu serais resté	vous seriez restés
il serait resté	ils seraient restés

Impératif

reste, *remain (thou)*

restons, *let us remain*
restez, *remain (you)*

Subjonctif

Présent

that I may remain

que je reste	que nous restions
que tu restes	que vous restiez
qu'il reste	qu'ils restent

Passé

that I may have remained

que je sois resté	que nous soyons restés
que tu sois resté	que vous soyez restés
qu'il soit resté	qu'ils soient restés

Imparfait

that I might remain

que je restasse
que tu restasses
qu'il restât

que nous restassions
que vous restassiez
qu'ils restassent

Plus-que-parfait

that I might have remained

que je fusse resté
que tu fusses resté
qu'il fût resté

que nous fussions restés
que vous fussiez restés
qu'ils fussent restés

Terminaisons des trois conjugaisons régulières

1	2	3
____	INFINITIF PRÉSENT	____
–er	–ir	–re
____	PARTICIPE PRÉSENT	____
–ant	–issant	–ant
____	PARTICIPE PASSÉ	____
–é	–i	–u
____	INDICATIF PRÉSENT	____
–e	–is	–s
–es	–is	–s
–e	–it	—
–ons	–issons	–ons
–ez	–issez	–ez
–ent	–issent	–ent
____	IMPARFAIT	____
–ais	–issais	–ais
–ais	–issais	–ais
–ait	–issait	–ait
–ions	–issions	–ions
–iez	–issiez	–iez
–aient	–issaient	–aient

Terminaisons des trois conjugaisons régulières — *suite*

1	2	3
\multicolumn{3}{c}{Passé défini}		
–ai	–is	–is
–as	–is	–is
–a	–it	–it
–âmes	–îmes	–îmes
–âtes	–îtes	–îtes
–èrent	–irent	–irent
\multicolumn{3}{c}{Futur}		
–erai	–irai	–rai
–eras	–iras	–ras
–era	–ira	–ra
–erons	–irons	–rons
–erez	–irez	–rez
–eront	–iront	–ront
\multicolumn{3}{c}{Conditionnel présent}		
–erais	–irais	–rais
–erais	–irais	–rais
–erait	–irait	–rait
–erions	–irions	–rions
–eriez	–iriez	–riez
–eraient	–iraient	–raient
\multicolumn{3}{c}{Impératif}		
–e	–is	–s
–ons	–issons	–ons
–ez	–issez	–ez

1	2	3
Subjonctif Présent		
–e	–isse	–e
–es	–isses	–es
–e	–isse	–e
–ions	–issions	–ions
–iez	–issiez	–iez
–ent	–issent	–ent
Imparfait du Subjonctif		
–asse	–isse	–isse
–asses	–isses	–isses
–ât	–ît	–ît
–assions	–issions	–issions
–assiez	–issiez	–issiez
–assent	–issent	–issent

FORMATION DES TEMPS

On peut diviser les verbes irréguliers en deux classes. La première classe renferme les verbes qui se conjuguent facilement quand on sait cinq formes de ces verbes et quand on sait la formation des temps. La deuxième classe renferme les verbes qui sont très irréguliers.

Voici les formes qu'il faut savoir:

1. l'infinitif présent,
2. le participe présent,
3. le singulier de l'indicatif présent,
4. le passé défini,
5. le participe passé.

Il faut savoir l'infinitif parce que c'est l'infinitif qui est le radical du futur et du conditionnel présent.

dormir

je **dormir** ai   je **dormir** ais

Les terminaisons du futur sont:

        ai   ons
        as   ez
        a   ont

Les terminaisons du conditionnel présent sont:

        ais   ions
        ais   iez
        ait   aient

Il faut savoir le participe présent parce que l'imparfait, le subjonctif présent, l'indicatif présent et l'impératif ont le même radical que le participe présent.

Ce radical se contracte souvent au singulier de l'indicatif présent et par conséquent au singulier de l'impératif; voilà pourquoi il faut étudier ces formes à part.

dorm ant

je **dorm** ais   que je **dorm** e
nous **dorm** ons   **dorm** ons

La terminaison du participe présent est:

ant

Les terminaisons de l'imparfait sont:

        ais   ions
        ais   iez
        ait   aient

Les terminaisons du subjonctif présent sont:

    e   ions
    es   iez
    e   ent

Les terminaisons du pluriel de l'indicatif présent sont:

    ons
    ez
    ent

Les terminaisons du pluriel de l'impératif sont:

    ons
    ez

Il faut savoir le singulier de l'indicatif présent à cause de la contraction fréquente du radical et aussi parce qu'il nous donne le singulier de l'impératif.

    je dors
    tu **dors**   **dors**
    il dort

Les terminaisons du singulier de l'indicatif présent sont:

    e   s
    es   ou   s
    e   t

La terminaison de la deuxième personne du singulier de l'impératif est:

e ou s

Il faut savoir le passé défini parce que l'imparfait du subjonctif a le même radical que le passé défini.

    je **dorm**‿is   que je **dorm**‿isse

Les terminaisons du passé défini sont:

ai	is	us
as	is	us
a	it	ut
âmes	îmes	ûmes
âtes	îtes	ûtes
èrent	irent	urent

Les terminaisons de l'imparfait du subjonctif sont:

asse	isse	usse
asses	isses	usses
ât	ît	ût
assions	issions	ussions
assiez	issiez	ussiez
assent	issent	ussent

Il faut savoir le participe passé parce qu'on forme les temps composés au moyen des auxiliaires, avoir et être, et du participe passé.

j'ai **dormi,** j'avais **dormi,** j'eus **dormi,** etc.

Verbes irréguliers de la premiere classe

1. Groupe de verbes qui se conjuguent exactement comme dormir. (**dormir, dorm**ant, je **dors,** je **dorm**is, **dormi**)

mentir   se repentir   servir
partir   sentir   sortir

2. Groupe de verbes qui se conjuguent exactement comme couvrir. (**couvrir, couvr**ant, je **couvre,** je **couvr**is, **couvert**)

offrir   ouvrir   souffrir

3. Groupe de verbes qui se conjuguent exactement comme craindre. (**craindre, craign**ant, je **crains,** je **craign**is, **craint**)

éteindre   peindre   plaindre
joindre

GRAMMAIRE ÉLÉMENTAIRE

4. Groupe de verbes qui se conjuguent exactement comme conduire. (**conduire, conduisant,** je **conduis,** je **conduisis, conduit**)

    construire   introduire   traduire
    cuire   produire

5. Groupe de verbes qui se conjuguent exactement comme connaître. (**connaître, connaissant,** je **connais,** je **connus, connu**) (il connaît)

    disparaître   paraître   reconnaître

battre, battant, je **bats,** je **battis, battu**
(il bat)

bouillir, bouillant, je **bous,** je **bouillis, bouilli**
conclure, concluant, je **conclus,** je **conclus, conclu**
coudre, cousant, je **couds,** je **cousis, cousu**
(il coud)

croire, croyant, je **crois,** je **crus, cru**
croître, croissant, je **croîs,** je **crûs, crû**
écrire, écrivant, j'**écris,** j'**écrivis, écrit**
lire, lisant, je **lis,** je **lus, lu**
luire, luisant, je **luis,** ——, **lui**
mettre, mettant, je **mets,** je **mis, mis**
(il met)

moudre, moulant, je **mouds,** je **moulus, moulu**
(il moud)

naître, naissant, je **nais,** je **naquis, né**
(il naît)

nuire, nuisant, je **nuis,** je **nuisis, nui**
plaire, plaisant, je **plais,** je **plus, plu**
(il plaît)

résoudre, résolvant, je **résous,** je **résolus, résolu**
rire, riant, je **ris,** je **ris, ri**
suivre, suivant, je **suis,** je **suivis, suivi**

se **taire,** se **tais**ant, je me **tais,** je me **tus, tu**
vaincre, vainquant, je **vaincs,** je **vainqu**is, **vaincu**
(il vainc)

vêtir, vêtant, je **vêts,** je **vêt**is, **vêtu**
(il vêt)

vivre, vivant, je **vis,** je **véc**us, **vécu**

PHONETIC ALPHABET

a	as in	patte	o	as in	hôte
ɑ	"	pâte	ɔ	"	note
ɑ̃	"	tant	ɔ̃	"	oncle
b	"	beau	ø	"	peu
d	"	dame	œ	"	neuf
e	"	allé	œ̃	"	brun
ɛ	"	père	p	"	pas
ɛ̃	"	pain	r	"	rire
ə	"	que	s	"	pense
f	"	fort	t	"	tant
g	"	gant	u	"	tout
i	"	pire	y	"	rue
j	"	bien	v	"	vert
k	"	car	w	"	oui
l	"	long	ɥ	"	lui
m	"	dame	z	"	rose
n	"	neuf	ʃ	"	chou
ɲ	"	digne	ʒ	"	rouge

: sign of length

SYLLABICATION

1. A single consonant sound goes with the following vowel sound to form a syllable: a-mi, tâ-cher.
2. So also combinations of consonants which may be pronounced together, of which the last consonant is l or r (but not rl, lr): é-clai-rer, ou-vrir.
3. Other combinations of consonants are divided: par-ler, per-du.
4. Final e (usually silent) is regarded as forming a syllable: bra-v(e), u-n(e).

STRESS

In French the syllables of words are uttered with almost equal force, a very slight stress being given to the last syllable, or to the last but one, in case the word ends in e: che-**val**, ta-ble.

VOWEL QUANTITY

1. Final vowel sounds are short: fi**ni**, sa**pin**.
2. All stressed vowels are long before the sounds [v], [z], [ʒ], [j], [r final]: cave [kaːv], amuse [amyːz], rouge [ruːʒ], feuille [fœːj], faire [fɛːr], quinze [kɛ̃ːz].
3. Stressed nasal sounds are also long before other consonant sounds: grande [grãːd], prince [prɛ̃ːs].

PRONUNCIATION OF VOWEL SOUNDS

1. Never drawl a vowel sound or allow it to become a diphthong, as often happens in English; French vowels are uniform throughout their utterance.
2. Never slur over or clip out vowel sounds, but give each its full value.

APPENDICE

3. Lip rounding and lip retraction are much more definite and energetic than in English.

a............chat
à............voilà } like **a** in p**a**t [a]

but with wider mouth opening and definite lip retraction, the point of the tongue against the lower teeth

â..........bâtir } like **a** in f**a**ther [ɑ]

but with mouth well open, lips neither rounded nor retracted, and tongue not touching lower teeth

é....................né
er, ending, r silent.....aller
ez, " z " .....avez } like **a** in p**a**tience but with [e]
et conjunction........et definite lip retraction
les, mes, etc..........ses
ai final in verb endings, donnai

è......................père
ê......................fête
e before doubled consonant. cesser
e " two or more consonant sounds............perdre } like **e** in l**e**t but with mouth wider open [ɛ]
e before final consonant sound.................avec and lips definitely retracted
e before final silent **t**......muet
ai except when final in verb endings................mais
ei......................reine

e...........................je } like **e** in th**e** boy [ə]
but with slight lip rounding

i............................ici } like **i** in mach**i**ne with
î............................île energetic lip retraction [i]
y when not beginning a syllable cycle

o........................robe	like **o** in n**o**t but with definite lip rounding	[ɔ]

ô........................côte	like **o** in **o**cean but with much tenser lip rounding and protrusion	[o]
o as a final sound..........mot		
au........................autre		
eau........................beau		

u..........................rue	has no English counterpart	[y]
û..........................mûr		

The tongue position is the same as for [i] but with tense lip rounding without protrusion; best acquired by prolonging the [i] sound, meanwhile rounding the lips.

eu final sound..........peu	has no English counterpart	[ø]
œu " " ....bœufs		
eu within a word before **s** and sometimes **t**....creuser / peut-être		

The tongue position is the same as for [e] with tense lip rounding and protrusion as for whistling. Pronounce [e] and round the lips.

eu ⎫ before a consonant.neuf	has no English counterpart	[œ]
⎬ sound (not **s**) and.bœuf		
œu ⎭ before **ill**........feuille		
ue........................orgueil		
œ........................œil		

Tongue position is the same as for [ɛ] with definite lip rounding. Pronounce [ɛ] and round the lips.

ou............tout	like **oo** in b**oo**t but with much tenser lip rounding and protrusion as for whistling	[u]
où............où		
oû............goût		

NASAL VOWELS

The nasal vowels are formed by uttering the French vowel sounds [ɑ], [ɛ], [ɔ], [œ], and at the same time allowing the soft palate to hang freely as in breathing. There is absolutely no sound of **n** or **m** in French nasal sounds.

an..................dans			
am..................lampe	nasalized [ɑ]	[ɑ̃]
en..................enfant			
em..................empire			

ain..................pain			
aim..................faim			
ein..................plein			
eim..................Reims	nasalized [ɛ]	[ɛ̃]
in..................fin			
im..................simple			
yn..................syntaxe			
ym..................symbole			

on..................oncle	nasalized [ɔ]	[ɔ̃]
om..................ombre			

un..................chacun			
um..................parfum	nasalized [œ]	[œ̃]
eun..................à jeun			

NOTE.— If **n** or **m** is followed by a vowel, or doubled, or if **mn** occurs, there is no nasality: fine, innocent, condamner.

SEMI-VOWELS

When **i, y, ou** come before another vowel sound in the same syllable, they are pronounced with greater rapidity and tenseness and assume a partially consonantal value.

i......................bien	like very brief and forcible	
y......................yeux	**y** in **y**es	[j]

ou.................... oui } like very brief and tense **w** [w]
in **we** with close lip rounding and protrusion

oi.................... roi ⎱   [ə]
                                    ⎰ have the sound of   [w] + or

oî....................boîte ⎰ [w] + [a] or [ɑ]   [ɑ]

oin................... loin ⎱ has the sound of   [w] + [ɛ̃]
                                         ⎰ [w] + [ɛ̃]

u.................... lui } best acquired by substitut-   [ɥ]
ing [y] for it and gradually increasing the speed and force of utterance

CONSONANTS

The movements of the vocal organs are more prompt, definite, and vigorous in uttering French consonants than for the corresponding English sounds. Final consonants are usually silent, but final **c, f, l,** and **r** in monosyllables are more usually sounded.

b......................bon } like **b** in tu**b** fully voiced   [b]

c followed by **a**, **o**, or **u** ⎰ car
                                      ⎱ code
                                         ⎰ curé

c before a consonant.....cri
c when final............avec   ⎱
k......................kilo   ⎰ like **k** in ta**k**e   [k]
ck....................bifte**ck**
q......................cin**q**
qu....................**qu**i

                                        ⎱ like **sh** in **sh**ow but
ch......................chat ⎰ more energetically   [ʃ]
                                            uttered

d........................dame } like **d** in **d**i**d** fully   [d] voiced, with point of tongue against lower teeth, its upper surface forming a closure with the upper teeth, gums, and palate

f .... fin
ph .... phrase } like **f** in **f**ife [f]

g before **a**, **o**, or **u** ...... { gant / goût / aigu }
g " a consonant ...... glace } like **g** in **g**o fully voiced [g]

gn .... digne } somewhat like **ni** in opinion [ɲ]

It is formed by pressing the upper middle surface of the tongue against the roof of the mouth, the tip being at the same time thrust against the back surface of the lower front teeth.

j .... je
g before **e**, **i**, or **y** .... { rouge / agir / gymnase } like **s** in measure but more energetically uttered and fully voiced [ʒ]

l .... livre } like **l** in **l**aw [l]
fully voiced but with tongue advanced as for [d]

ll after **i** (not initial) ...... fille
il } after other vowels .... soleil
ill } .... feuille } like very brief and forcible **y** in **y**es [j]

m .... dame } like **m** in **m**e fully voiced [m]

n .... non } like **n** in **n**one [n]
fully voiced, and with tongue advanced as for [d]

p .... père } like **p** in **p**at [p]

r .... très } has no English counterpart [r]

It is formed by trilling the tip of the tongue against the upper gums, or even against the upper front teeth.

s at beginning of word	son		
s when not between vowels	pense		
ss	classe		
c before e, i, or y	celui / ici / cycle	like s in see but with the tongue advanced	[s]
ç	leçon		
sc	scène		
t in words whose English forms have the sh or cy sound	nation / prophétie		
t	tant	like t in time but with the tongue advanced as for [d]	[t]
th	théâtre		
v	vous	like v in five fully voiced	[v]
w	wagon		
x	luxe / excellent	usually has sound of	[ks]
x in the prefix ex plus a vowel	exemple	has the sound of	[gz]
z	onze	like z in zone fully voiced and with tongue advanced	[z]
s between vowels	rose		

h The learner should regard **h** as absolutely silent.

LIAISON

In a group of words closely connected grammatically, a final consonant sound is usually joined in pronunciation with a following word beginning with a vowel or **h** mute.

The groups requiring liaison are:

1. An article with its noun: les‿amis, des‿enfants, aux‿ouvriers, un‿étudiant.
2. An adjective with its noun: mon‿ami, mon bon‿ami, ces‿arbres, vingt‿ans, le premier‿avril, d'autres‿idées.
3. A pronoun with the verb: nous‿avons, on‿appelle, il‿est, on les‿aura.
4. The auxiliary with the participle or adjective: il est‿occupé, nous sommes‿arrivés, tu es‿obstiné, il avait‿été.
5. A preposition or an adverb with the following word: dans‿une heure, sans‿argent, en‿été, chez‿eux, devant‿eux, très‿occupé, bien‿aimable, trop‿aimable.

NOTE—The t of et is never linked.
Linking cannot occur before oui, onze, onzième.
Certain consonants change their sound in liason: d = t, s = z, x = z.

LISTS OF WORDS FOR PRACTICE

[i]	[ə]	[e]	[ɛ]
ni	le	et	père
si	je	été	mère
ri	me	j'ai	frère
lit	de	sais	près
fit	se	vais	neige
dit	te	gai	perte
qui	ne	clef	perdre
ici	ce	nez	merci
midi	que	les	mais
mille	ceci	des	prenais
ville	petit	ses	était
pris	venir	mes	étaient
dire	tenir	répéter	mauvais
vivre	cerise	pays	fête

[a]	[ɑ]	[y]	[ɔ]
ma	pas	pu	robe
ta	bas	du	note
sa	cas	rue	notre
la	las	pur	votre
chat	âne	mur	joli
papa	âme	ruse	modiste
quatre	bâtir	eu	sotte
ami	sabre	une	molle
patte	casser	punir	Paul
adresse	blâmer	musique	sottise
agir	fâché	unir	fort
année	tâcher	utile	tort
car	tas	réussir	sortir
par	parlâmes	plus	gorge
Amérique	parlâtes	cru	Noël

[o]	[ø]	[œ]	[u]
mot	peu	sœur	ou
nos	feu	leur	où
vos	eux	peur	sou
sot	deux	fleur	fou
chose	veut	beurre	cou
haut	peut	cœur	tout
beau	ceux	heure	goût
autre	creux	jeune	août
ôter	neveu	bœuf	tour
sauter	bleu	neuf	cour
faute	peut-être	ardeur	four
côté	déjeuner	meurt	ouvrir
beauté	fameux	professeur	couteau
le nôtre	cheveux	erreur	soupe
le vôtre	fâcheux	acteur	couvrir

APPENDICE

[ã]	[ɛ̃]	[ɔ̃]	[œ̃]
en	fin	non	un
tant	faim	nom	brun
dans	pain	bon	chacun
banc	main	rond	parfum
gant	plein	oncle	humble
lent	vingt	ombre	lundi
enfant	prince	son	commun
quand	ainsi	mon	défunt
tante	important	ton	quelqu'un
lampe	simple	songe	aucun
rendre	syntaxe	bondir	emprunt
mentir	symbole	ronde	opportun
sentir	insecte	garçon	Verdun
vendre	invisible	compte	Dunkerque
remplir	Reims	Napoléon	à jeun

[j]	[ɥ]	[w] + { [–] [a] [ɑ] [ɛ] }
fille	lui	oui
Dieu	puis	moi
lieu	huit	toi
mieux	huile	roi
vieux	tuile	loi
yeux	cuir	soi
cieux	cuivre	quoi
sérieux	luire	boîte
furieux	luisant	soif
mélodieux	muet	soir
monsieur	produire	soin
viande	saluer	loin
travail	appuyer	besoin
travailler	ruisseau	savoir
bien	aujourd'hui	recevoir

VERBS IRRÉGULIERS

acquérir | **acquérant**

j'acquerr ai | j'acquér ais | que j'acquièr e
etc. | etc. | que tu acquièr es
j'acquerr ais | ns. acquér ons | qu'il acquièr e
etc. | vs. acquér ez | que ns. acquér ions
 | ils acquièr ent | que vs. acquér iez
 | | qu'ils acquièr ent

acquér ons
etc.

aller | **allant**

j'ir ai | j'all ais | que j'aill e
etc. | etc. | que tu aill es
j'ir ais | ns. all ons | qu'il aill e
etc. | vs. all ez | que ns. all ions
 | ils vont | que vs. all iez
 | | qu'ils aill ent

allons
etc.

apercevoir | **apercevant**

(*conjugué*

s'asseoir | **s'asseyant**

je m'assiér ai | je m'assey ais | que je m'assey e
etc. | etc. | etc.
je m'assiér ais | ns. ns. assey ons |
etc. | etc. |

asseyons-nous
etc.

DE LA DEUXIÈME CLASSE

j'acquier s	**j'acqu is**	**acquis**
tu acquier s	*etc.*	
il acquier t	que j'acqu isse	j'ai acquis
	etc.	*etc.*
acquiers		

je vais	**j'all ai**	**allé**
tu vas	*etc.*	
il va	que j'all asse	je suis allé
	etc.	*etc.*
va		

j'aperçoi s	**j'aperç us**	**aperçu**
(*comme* **recevoir**)		

je m'assied s	**je m'ass is**	**assis**
tu t'assied s	*etc.*	
il s'assied –	que je m'ass isse	je me suis assis
	etc.	*etc.*
assieds-toi		

boire	**buvant**	
je boir ai	je buv ais	que je boiv e
etc.	*etc.*	que tu boiv es
je boir ais	ns. buv ons	qu'il boiv e
etc.	vs. buv ez	que ns. buv ions
	ils boiv ent	que vs. buv iez
		qu'ils boiv ent
	buv ons	
	etc.	

concevoir | **concevant**

(conjugué

courir	**courant**	
je courr ai	je cour ais	que je cour e
etc.	*etc.*	*etc.*
je courr ais	ns. cour ons	
etc.	*etc.*	
	cour ons	
	etc.	

cueillir	**cueillant**	
je cueiller ai	je cueill ais	que je cueill e
etc.	*etc.*	*etc.*
je cueiller ais	ns. cueill ons	
etc.	*etc.*	
	cueill ons	
	etc.	

décevoir | **décevant**

(conjugué

je boi s	**je b us**	**bu**
tu boi s	*etc.*	
il boi t	que je b usse	j'ai bu
	etc.	*etc.*
bois		
je conçoi s	**je conç us**	**conçu**
comme **recevoir**)		
je cour s	**je cour us**	**couru**
tu cour s	*etc.*	
il cour t	que je cour usse	j'ai couru
	etc.	*etc.*
cours		
je cueill e	**je cueill is**	**cueilli**
tu cueill es	*etc.*	
il cueill e	que je cueill isse	j'ai cueilli
	etc.	*etc.*
cueille		
je déçoi s	**je déç us**	**déç u**
comme **recevoir**)		

devoir | **devant**
  | (conjugué

dire | **disant**
je dir ai | je dis ais | que je dis e
  etc. | etc. | etc.
je dir ais | ns. dis ons
  etc. | vs. dites
  | ils dis ent
  | dis ons
  | dites

s'émouvoir | **s'émouvant**
je m'émouvr ai | je m'émouv ais | que je m'émeuv e
  etc. | etc. | que tu t'émeuv es
je m'émouvr ais | ns. ns. émouv ons | qu'il s'émeuv e
  etc. | vs. vs. émouv ez | que ns. ns. émouv ions
  | ils s'émeuv ent | que vs. vs. émouv iez
  | | qu'ils s'émeuv ent
  | émouv ons-ns.
  | etc.

envoyer | **envoyant**
j'enverr ai | j'envoy ais | que j'envoi e
  etc. | etc. | que tu envoi es
j'enverr ais | ns. envoy ons | qu'il envoi e
  etc. | vs. envoy ez | que ns. envoy ions
  | ils envoi ent | que vs. envoy iez
  | | qu'ils envoi ent
  | envoy ons
  | etc.

je dois *comme* **recevoir**)	**je d us**	**dû** (due)
je di s tu di s il di t dis	**je d is** *etc.* que je d isse *etc.*	**dit** j'ai dit *etc.*
je m'émeu s tu t'émeu s il s'émeu t émeus-toi	**je m'ém us** *etc.* que je m'ém usse *etc.*	**ému** je me suis ému *etc.*
j'envoi e tu envoi es il envoi e envoie	**j'envoy ai** *etc.* que envoy asse *etc.*	**envoyé** j'ai envoyé

faire

je fer ai
etc.
je fer ais
etc.

faisant

je fais ais
etc.
ns. fais ons
vs. faites
ils font

faisons
faites

que je fass e
etc.

falloir

il faudr a
il faudr ait

il fall ait

———

qu'il faill e

mourir

je mourr ai
etc.
je mourr ais
etc.

mourant

je mour ais
etc.
ns. mour ons
vs. mour ez
ils meur ent

mour ons
etc.

que je meur e
que tu meur es
qu'il meur e
que ns. mour ions
que vs. mour iez
qu'ils meur ent

pouvoir

je pourr ai
etc.
je pourr ais
etc.

pouvant

je pouv ais
etc.
ns. pouv ons
vs. pouv ez
ils peuv ent

que je puiss e
etc.

je fai s	**je f is**	**fait**
tu fai s	*etc.*	
il fai t	que je f isse	j'ai fait
	etc.	*etc.*
fais		

il faut	**il fallut**	**fallu**
	qu'il fallût	il a fallu

je meur s	**je mour us**	**mort**
tu meur s	*etc.*	
il meur t	que je mour usse	je suis mort
	etc.	*etc.*
meurs		

je puis (peux)	**je p us**	**pu**
tu peux	*etc.*	
il peut	que je p usse	j'ai pu
———	*etc.*	*etc.*

prendre | **prenant**

je prendr ai	je pren ais	que je prenn e
etc.	etc.	que tu prenn es
je prendr ais	ns. pren ons	qu'il prenn e
etc.	vs. pren ez	que ns. pren ions
	ils prenn ent	que vs. pren iez
		qu'ils prenn ent
	pren ons	
	etc.	

recevoir | **recevant**

je recevr ai	je recev ais	que je reçoiv e
etc.	etc.	qus tu reçoiv es
je recevr ais	ns. recev ons	qu'il reçoiv e
etc.	vs. recev ez	que ns. recev ions
	ils reçoiv ent	que vs. recev iez
		qu'ils reçoiv ent
	recevons	
	etc.	

savoir | **sachant**

je saur ai	je sav ais	que je sach e
etc.	etc.	etc.
je saur ais	ns. sav ons	
etc.	etc.	
	sach ons	
	etc.	

je prend s	**je pr is**	**pris**
tu prend s	*etc.*	
il prend –	que je pr isse	j'ai pris
	etc.	*etc.*
prends		

je reçoi s	**je reç us**	**reçu**
tu reçoi s	*etc.*	
il reçoi t	que je reç usse	j'ai reçu
	etc.	*etc.*
reçois		

je sai s	**je s us**	**su**
tu sai s	*etc.*	
il sai t	que je s usse	j'ai su
	etc.	*etc.*
sache		

tenir — tenant

je tiendr ai	je ten ais	que je tienn e
etc.	*etc.*	que tu tienn es
je tiendr ais	ns. ten ons	qu'il tienn e
etc.	vs. ten ez	que ns. ten ions
	ils tienn ent	que vs. ten iez
		qu'ils tienn ent
	ten ons	
	etc.	

venir — venant

je viendr ai	je ven ais	que je vienn e
etc.	*etc.*	que tu vienn es
je viendr ais	ns. ven ons	qu'il vienn e
etc.	vs. ven ez	que ns. ven ions
	ils vienn ent	que vs. ven iez
	ven ons	qu'ils vienn ent
	etc.	

valoir — valant

je vaudr ai	je val ais	que je vaill e
etc.	*etc.*	que tu vaill es
je vaudr ais	ns. val ons	qu'il vaill e
etc.	*etc.*	que ns. val ions
	val ons	que vs. val iez
	etc.	qu'ils vaill ent

je tien s	**je tin s**	**tenu**
tu tien s	tu tin s	
il tien t	il tin t	j'ai tenu
	ns. tîn mes	*etc.*
	vs. tîn tes	
tiens	ils tin rent	
	que je tin sse	
	etc.	
je vien s	**je vin s**	**venu**
tu vien s	tu vin s	
il vien t	il vin t	je suis venu
	ns. vîn mes	*etc.*
viens	vs. vîn tes	
	ils vin rent	
	que je vin sse	
	etc.	
je vaux	**je val us**	**valu**
tu vau x	*etc.*	
il vau t	que je val usse	j'ai valu
	etc.	*etc.*
vaux		

voir

je verr ai
etc.
je verr ais
etc.

voyant

je voy ais
etc.
ns. voy ons
vs. voy ez
ils voi ent

voy ons
etc.

que je voi e
que tu voi es
qu'il voi e
que ns. voy ions
que vs. voy iez
qu'ils voi ent

vouloir

je voudr ai
etc.
je voudr ais
etc.

voulant

je voul ais
etc.
ns. voul ons
vs. voul ez
ils veul ent

veuillons
etc.

que je veuill e
que tu veuill es
qu'il veuill e
que ns. voul ions
que vs. voul iez
qu'ils veuill ent

je voi s tu voi s il voi t vois	**je v is** *etc.* que je v isse *etc.*	**vu** j'ai vu *etc.*
je veu x tu veu x il veu t veuille	**je voul us** *etc.* que je voul usse *etc.*	**voulu** j'ai voulu *etc.*

VOCABULAIRE FRANÇAIS–ANGLAIS

A

a, has; **il y a,** there is, there are
à, to, at, in
abandonner, to abandon, give up
un **abécédaire,** a primer
l'**abondance,** *f.* plenty of water with a little wine
abondant, –e, abundant
d'**abord,** at first, first of all; **tout d'abord,** at the very first
abreuver, to drench, soak
absolument, absolutely
un **accent,** an accent, tone, voice
accepter, to accept
accomplir, to accomplish
accorder, to grant; **s'accorder,** to agree
accourir, to hasten, run up
accuser, to accuse
acharné, –e, persistent
acheter, to buy
achever, to finish
un **adieu,** a farewell
adjurer, to beseech, adjure
admirable, admirable
admirablement, admirably

admirer, to admire
une **admission,** admission, entrance
adopter, to adopt
adorer, to adore, love
s'**adosser,** to lean one's back (against)
une **adresse,** skill
s'**adresser,** to apply
adroit, –e, dexterous, skillful
adroitement, skillfully
un **adversaire,** an adversary
une **affaire,** an affair; *pl.* business, belongings
affectueux, affectueuse, affectionate
affermi, –e, steady
une **affiche,** a poster
afficher, to post
l'**Afrique,** *f.* Africa
un **âge,** age; **en âge,** of age
âgé, –e, old
un **agent,** an agent, transmitter
agile, nimble, quick
agir, to act
une **agonie,** agony
agricole, agricultural
aider, to help
une **aiguille,** a needle; hand of a clock

une **aile**, a wing
  aillent, qu'ils s'en aillent, that they should go
  aimable, amiable, pleasant
  aimablement, pleasantly
  aimer, to like, love, be fond of
  aîné, –e, elder, eldest
  ainsi, thus
un **air**, appearance; **le grand air**, the open air
  aise, glad; **fort aise**, very glad; **à l'aise**, comfortably
  aisément, easily
  ait, may have, should have
  ajouter, to add
  l'**Algérie**, *f.* Algeria
  aligner, to put in a straight line
  l'**Allemagne**, *f.* Germany
  l'**allemand**, *m.* German language
  aller, to go; **s'en aller**, to go away; **allez-vous-en**, go away; **allez!** I assure you! **allons!** come
  allonger, to lengthen, to deal out
  s'allonger, to stretch out
  allumer, to light
  alors, then
une **âme**, a soul
  amener, to bring
  amer, amère, bitter
un **Américain**, an American
  l'**Amérique**, *f.* America
un **ami**, une **amie**, a friend
une **amitié**, friendship
un **amour**, love

  amoureusement, lovingly
  amuser, to amuse; **s'amuser**, to enjoy oneself
un **an**, a year
  analyser, to parse
  ancien, ancienne, former
un **âne**, a donkey
un **ange**, angel
  l'**angélus**, *m.* the bell for prayer
un **Anglais**, an Englishman
  anglais, –e, English
  l'**Angleterre**, *f.* England
un **animal**, an animal
une **année**, a year
  annoncer, to announce
une **antichambre**, an antechamber
  août, *m.* August
  apercevoir, to perceive; **s'apercevoir**, to notice
  il **aperçut**, he perceived
  aplati, –e, flattened out
un **appartement**, an apartment
  apparu, –e, appeared
  appeler, to call, name; **s'appelle**, is called; **comment appelle-t-on?** how do we call?
un **appétit**, an appetite
  s'appliquer, to apply oneself
les **appointements**, *m.* salary
  apporter, to bring
  il **apprend**, he learns
  apprendre, to learn, teach, tell
un **apprenti**, an apprentice
  appris, —e, learned, taught
  s'approcher, to approach
  appuyer, to press; **s'appuyer**, to lean

VOCABULAIRE FRANÇAIS–ANGLAIS

après, after; d'après, taken from
une après-midi, an afternoon
un arbre, a tree
un archange, archangel
l'argent, *m.* money, silver
une arme, a weapon; aux armes! to arms!
une armée, an army
armer, to load
une armoire, a closet
une armure, armor
arracher, to pull up
s'arrêter, to stop; arrêté, –e, standing, stopped
une arrivée, arrival
arriver, to arrive, happen
un arrondissement, a district
arroser, to water
un article, an article
une artillerie, artillery
un artiste, an artist
assaillir, to attack
s'asseoir, to sit down
s'asseyant, sitting down
assez, enough, rather
assiéger, to besiege
une assiette, a plate
assis, –e, seated; je m'assis, I sat down
assombrir, to darken
s'assurer, to make sure
attacher, to fasten, tie, endear
attaquer, to attack
attendre, to wait for; attendez-vous à la pareille, expect the same treatment
attendri, –e, moved, affected

une attente, expectation, waiting
attentif, attentive, attentive
une attention, attention; faire attention, pay attention
attirer, to attract, draw
attraper, to catch
au, à la, à l', aux, to the, at the
l'aube, *f.* dawn
une aubépine, hawthorn
une audience, audience, hearing
augmenter, to increase
auguste, stately, dignified
aujourd'hui, to-day
au lieu de, instead of
auprès de, to, near, in the presence of
auquel, to which
aura, will have; il y aura, there will be
aussi, also, therefore; aussi . . . que, as . . . as
aussitôt, immediately; aussitôt que, as soon as
autant, as much; autant que, as much as; d'autant plus, the more so
une auto, an automobile
un automne, autumn
une automobile, an automobile
autour de, around
autre, other; autre chose, something else
autrefois, formerly, of old
autrement, otherwise
une avance, advance-money; faire une avance, to pay in advance; par avance, beforehand

s'avancer, to advance
avant, before (*time*); en avant in front, forward
un avantage, an advantage
avant-dernier, next to the last
avec, with
une avenue, an avenue
vous avez, you have
un avocat, a lawyer
avoir, to have; avoir quinze ans, to be fifteen years old
avouer, to confess, own up
avril, *m.* April
ayant, having

B

la babine, lip of an animal
le baccalauréat, bachelor's degree
le bachot, bachelor's degree
la bague, ring
le bain, bath
baissé, –e, lowered, bowed
baisser, to lower
se baisser, to stoop
se balancer, to swing
la balle, ball, bullet
le ballon, foot-ball
la banane, banana
le bananier, banana tree
le banc, bench
la barbiche, goatee
barboter, to splash mud about
bas, basse, low; tout bas, in a low tone; en bas, below, downstairs

la bataille, battle
le bataillon, battalion
le bateau, boat
le bâtiment, building, vessel
bâtir, to build
le bâton, stick, line (*for practicing penmanship*)
la batterie de cuisine, kitchen utensils
battre, to beat; se battre, to fight; battre le briquet, to strike a light (*with flint and steel*)
beau, belle, beautiful, handsome
beaucoup, much, very much, many
le bébé, baby
le bec, beak, bill
la Belgique, Belgium
belle, *f.* beautiful, handsome
le berger, la bergère, shepherd, shepherdess
le besoin; avoir besoin de, to have need of, need
la bête, beast, animal
la betterave, beet
le beurre, butter
la Bible, Bible
bien, well, very, indeed, else, comfortable, a great deal; eh bien! well!
bienheureux, bienheureuse, precious
bientôt, soon
la bière, beer
bis, twice
blanc, blanche, white

VOCABULAIRE FRANÇAIS-ANGLAIS

le **blé**, wheat
blessé, –e, wounded, hurt
la **blessure,** wound
bleu, –e, blue
blond, –e, blond, fair
bloquer, to block
la **blouse,** blouse, smock
le **bœuf,** ox, beef
le **bois,** wood(s), forest
la **boîte,** box; **boîte de couleurs,** paint box
ils **boivent,** they drink
le **bol,** bowl
bon, bonne, good, kind
le **bonbon,** bonbon, candy
le **bond,** bound, leap
le **bonheur,** happiness, luck
le **bonhomme,** good-natured man, good fellow
bonjour, good morning, good day
la **bonne,** maid
bonne maman, grandma
bonté divine! gracious me!
le **bord,** edge
border, to tuck in
borner, to bound
le **bouc,** he-goat
la **bouche,** mouth; **bonne bouche,** last and best bit
boucher, to stop up, cork
bouclé, –e, curly
la **boue,** mud
bouger, to budge, stir
bouillir, to boil
la **boulette de papier,** paper ball
bouleverser, to upset, agitate
bourrer, to stuff, fill

la **bourse,** purse, scholarship
le **boursier,** holder of a scholarship
le **bout,** end, tip, back
la **bouteille,** bottle
la **boutique,** shop
le **bouton,** knob, button
la **branche,** branch
le **bras,** arm
brave, brave, good, worthy
braver, to defy
briller, to shine
le **brin,** blade
briser, to break
broder, to embroider
le **bronze,** bronze
la **brosse,** brush
brosser, to brush
le **brouillard,** fog
brouter, to graze
le **bruit,** noise
brûler, to burn
la **brume,** mist
bruyamment, noisily
la **bruyère,** heather
le **buffet,** sideboard
le **buisson,** bush
le **bureau,** desk, office
le **but,** end, aim; **arriver à son but,** to attain one's object

C

ça, that; **ça va bien?** are you well?
le **cabinet,** private room, office
cache-cache, hide and seek
cacher, to hide

le **cadeau**, present, gift
le **cadran**, dial
le **cadre**, frame
le **café**, coffee
la **cage**, cage
le **cahier**, notebook
la **caisse**, cashier's desk
le **calcul**, arithmetic
le **calice**, calyx
le **calme**, quiet, stillness
la **calotte**, skull-cap
le **camarade**, comrade
la **campagne**, country
la **campanule**, harebell
le **canif**, penknife
la **canne**, cane
le **canon**, cannon
la **capitale**, capital
le **capitaine**, captain
car, for
le **caractère**, disposition, character
caressant, –e, caressing, affectionate
la **caresse**, caress
la **caricature**, caricature
le **carreau**, floor-tile
la **carte**, map
la **casquette**, cap
casser, to break
la **casserole**, saucepan
la **cathédrale**, cathedral
la **cause**, cause; **à cause de**, because of
la **cave**, cellar
ce, cet, cette, ces, this, that, these, those
je **cède**, I yield, give in

cela, that (*thing*)
célèbre, famous
célébrer, to celebrate
céleste, heavenly
celui, celle, ceux, celles, this, that, these, those; **celui-ci**, *etc.* the latter; **celui-là**, *etc.* the former
celui qui, the one who, he who
le **censeur**, vice-principal
cent, one hundred
cependant, however
ce qui, ce que, that which, what
le **cercle**, circle, club
la **cérémonie**, ceremony
le **cerf-volant**, kite
la **cerise**, cherry
certainement, certainly
certes, certainly
le **cerveau**, brain
c'est, it is, that is, he is, she is; **c'est-à-dire**, that is to say; **c'est bon**, all right; **c'est que**, it is because
ceux-ci, the latter
ceux-là, the former
chacun, each one
la **chaîne**, chain
la **chair**, flesh
la **chaire**, desk, pulpit
la **chaise**, chair
la **chambre**, room; **Chambre des Députés**, House of Representatives
la **chambre à coucher**, bedroom
le **champ**, field
le **champ de bataille**, battle field

la **chance**, luck
le **changement**, change
changer, to change
la **chanson**, song
le **chant**, song, singing, crow
chanter, to sing
le **chapeau**, hat
la **chapelle**, chapel
le **chapitre**, chapter
chaque, each, every
le **charbon**, coal
la **charge**, charge, load
chargé, –e, laden
charger, to load, entrust
charmant, –e, charming
la **chasse**, hunt
chasser, to hunt
le **chasseur**, hunter
le **chat**, cat
la **châtaigne**, chestnut
le **châtaignier**, chestnut tree
le **château**, castle; **les châteaux en Espagne**, castles in the air
chaud, –e, warm, hot
chaudement, warmly
le **chef d'escadre**, rear admiral
le **chemin**, road
la **cheminée**, chimney, fireplace
cher, chère, dear
chercher, to look for, seek
chéri, –e, cherished, darling
le **cheval**, horse
le **chevalier**, knight
les **cheveux**, *m.* hair
la **chèvre**, goat; **une maîtresse chèvre**, a fine goat
la **chevrette**, little goat
chez, at the house of

chiche, stingy, mean
le **chien**, dog
le **chiffon**, rag, bit, piece
le **chiffonnier**, chiffonier
la **chimie**, chemistry
le **chocolat**, chocolate
le **chœur**, choir, chorus
choisir, to choose
le **choix**, choice
la **chose**, thing; **grand'chose**, much; **peu de chose**, a mere trifle
le **chrétien**, christian
ci-dessus, above
le **cidre**, cider
le **ciel**, heaven, sky
la **cigale**, grasshopper
la **cigogne**, stork
cinq, five
cinquante, fifty
cinquième, fifth
la **circonstance**, circumstance
le **citoyen**, citizen
clair, –e, light, light colored
clairement, clearly
la **classe**, class
la **clef**, key
le **climat**, climate
la **cloche**, bell
la **clochette**, little bell
le **clos**, field
le **cochon**, pig
le **cœur**, heart; **le cœur gros**, with a heavy heart; **de tout son cœur**, with his whole heart; **de si bon cœur**, so heartily; **par cœur**, by heart

le **coin,** corner
le **col,** collar; **à long col,** with a long neck
la **colère,** anger
le **collet,** collar
le **collier,** necklace, collar (*of a dog*)
la **colonie,** colony
le **combat,** battle
combattre, to fight
combats, fight
combien, how much, how many
la **commandature,** headquarters
comme, as, like, how!
le **commencement,** beginning
commencer, to begin
comment, how; what! **comment est,** describe
la **communion,** communion
la **compagne,** companion, wife
comparer à, to compare with
le **complément,** object
le **compliment,** compliment
composer, to compose, make
la **composition,** written examination, theme, composition
comprend-il? does he understand?
comprendre, to understand
le **compte,** account; **se rendre compte de,** to realize
compter, to count, expect, intend, depend
conclure, to conclude
concourir, to compete
le **concours,** competitive examination

condamner, to condemn
conduire, to conduct, lead; **conduis,** lead
conduisant, leading
la **conduite,** superintendence, behavior
la **confiance,** confidence; **avoir confiance en,** to trust
confiant, −e, unsuspecting, confident
la **confiture,** jam
se **confondre,** to mingle, make all sorts of
confortable, comfortable
confus, −e, embarrassed
le **congé,** holiday
conjuguer, to conjugate
conjurer, to conjure, implore
la **connaissance,** acquaintance
connaissez-vous? do you know?
connaître, to be acquainted with, make the acquaintance of
connu, −e, known
la **conscience,** conscience
le **conseil,** advice
la **conséquence,** consequence
par **conséquent,** consequently
conserver, to preserve, keep
considérer, to consider, examine
la **consigne,** order
consterné, −e, dismayed
construire, to construct
construit, −e, built
consulter, to consult
content, −e, glad

continuer, to continue
se contracter, to contract
le contraire, opposite
contre, against
convaincu, –e, convinced
la conversation, conversation
copier, to copy
le coq, cock, rooster
le coquin, rogue
la corde, rope
la corne, horn
le corps, body
corriger, to correct
le corsaire, pirate
le costume, costume
le côté, side; d'un côté, on one side; à côté de, next to; du côté de, in the direction of; de côté, aside
le cou, neck; à son cou, around his neck
coucher, to lodge, lay down; se coucher, to go to bed
le coude, elbow
coudre, to sew
la couleur, color
le coup, blow, shot, stroke; du coup, from the shock; le coup de feu, shot; un coup de pied, a kick; un coup de poing, a blow, punch; tout à coup, tout d'un coup, suddenly
coupable, guilty
couper, to cut, chop
la cour, yard, court; la cour de revue, parade-ground
le courage, courage; prendre son courage à deux mains, to summon up all one's courage
courir, to run; en courant, running
le cours, course of study; stream
la course, course, flight
il court, he is running
court, –e, short
le courtisan, courtier
couru, run
cousant, sewing
le cousin, la cousine, cousin
coûter, to cost
la couturière, dressmaker
couvert de, covered with
couvrir, to cover
la craie, chalk
craindre, to fear
la cravate, necktie
le crayon, pencil
la crème, cream
un crève-cœur, heartbreak
le cri, cry
crier, to shout, cry out, scream
le crime, crime
le crochet, hook
croire, to believe; je crois, I believe
la croisade, crusade
la croisée, window
croître, to grow
croyant, believing
cruel, cruelle, cruel
il crut, he believed
cueillir, to pick
la cuillère, spoon
cuire, to cook

la **cuisine**, kitchen
la **cuisinière**, cook
cuit, –e, cooked; **cuit à point**, cooked just right
le **cuivre**, copper, brass
la **culbute**, somersault
culbuter, to turn a somersault
cultiver, to cultivate, till
le **curé**, curate, priest
curieux, curieuse, curious
la **curiosité**, curiosity
le **cycle**, course of study extending over a definite number of years; **premier cycle**, four years' course; **deuxième cycle**, three years' course

D

la **dame**, lady
le **danger**, danger
dangereux, dangereuse, dangerous
dans, in, into, from
la **danse**, dance
danser, to dance
le **dattier**, date tree
le **dauphin**, dauphin (*eldest son of the king of France*)
de, of, from, some, any
déborder, to stick out, protrude
debout, *adv.* standing
deçà, here
décembre, *m.* December
déchirer, to tear
déclarer, to declare
décliner, to decline

déconcerter, to disconcert
découper, to carve
se **décourager**, to get discouraged
découvert, –e, discovered
la **découverte**, discovery
décrire, to describe
dedans, within, inside
le **défaut**, fault, shortcoming
défendre, to forbid, defend
le **défenseur**, defender, protector
défier, to defy
se **dégourdir les jambes**, to stretch one's legs, limber up
déguster, to taste
déjà, already
déjeuner, to breakfast
le **déjeuner**, breakfast, lunch
delà, there
délicieux, délicieuse, delicious, delightful
la **délivrance**, release
délivrer, to deliver
demain, to-morrow
la **demande**, request
demander, to ask, require; se **demander**, to wonder
de même, likewise
demeurer, to live, dwell
demi, –e, half
le **demi-pensionnaire**, day boarder
démodé, –e, out of style
la **dent**, tooth
la **dentelle**, lace
le **départ**, departure
le **département**, department
se **dépêcher**, to hurry

déplier, to undo, unfold
depuis, since
le député, deputy
déranger, to disturb
dernier, dernière, last
dérouler, to unroll
derrière, behind
des, some, any, of the, from the
le désappointement, disappointment
descendre, to descend
la descente, the descent, attack
désespérément, with despair
désigner, to indicate
le désintéressement, disinterestedness
désirer, to desire, wish
désireux, désireuse, desirous
désobéir, to disobey
désolé, –e, grieved, distressed
desquels, of which
le dessert, dessert
le dessin, drawing
dessiner, to draw
dessus, on
de dessus, from, off
destiner, to intend
déterminer, to determine, limit
la détresse, distress
le détroit, straits
deux, two
deuxième, second
ils devaient, they were to
ça devait être, that must have been
devant, in front of

le devant, the front
devenu, –e, become
vous devez, you owe, ought, must
devient, becomes
deviner, to guess
devint, became
le devoir, task, written lesson
dévorer, to devour
en diable, deucedly, extremely
la dictée, dictation
Dieu, God
difficile, difficult
la digitale, foxglove
la dignité, dignity
le dimanche, Sunday
diminuer, to reduce, diminish
dîner, to dine
le dîner, dinner
dire, to say, tell; il dira, he will say
direct, –e, direct
directement, directly
la direction, direction
il disait, he would say, used to say
disparaissait, was disappearing
disparaître, to disappear
distinguer, to distinguish
la distraction, diversion
distrait, –e, absent minded; distrait en diable, dreadfully absent minded
la distribution de prix, award of prizes
il dit, he says; on dit, one says; qu'en dites-vous? what do you think of that?

divin, –e, divine
diviser, to divide; se diviser, to be divided
dix, ten
dix-huit, eighteen
dixième, tenth
dix-neuf, nineteen
dix-sept, seventeen
docile, gentle
le doigt, finger
doit-on? should one? must one?
domestique, domestic
le domestique, servant
le dommage, damage; c'est dommage! that is too bad! quel dommage! what a pity!
le don, gift
donc, therefore, then, hence, do
donner, to give; les portes donnent sur, the doors open upon
dont, of whom, whose, of which
dormir, to sleep
le dortoir, dormitory
le dos, back
double, double
doublé, –e, lined
doucement, softly, gently
la douleur, pain, grief
le doute, doubt
se douter de, to suspect
doux, douce, mild, gentle
la douzaine, dozen
douze, twelve

douzième, twelfth
le drap, cloth; drap de lit, sheet
le drapeau, flag
se dresser, to rise
droit, –e, straight; piano droit, upright piano
le droit, right, equity; être en droit de, to have the right to
la droite, right; à ma droite, on my right
drôle, funny, comic
du, de la, de l', des, some, any, of the, from the
dû, due, owed; ils ont dû, they were obliged
le duel, duel
dur, –e, hard
la durée, duration
durer, to last
duquel? of which?

E

l'eau, f. water
éblouissant, –e, dazzling
éclabousser, to splash
éclairer, to light, enlighten
éclater, to burst forth, break out
une école, a school; à l'école, at school
un écolier, a schoolboy
écorcher, to rub off the skin
écouter, to listen
écraser, to crush, run over
s'écrier, to exclaim
écrire, to write

écrit, -e, written
une écriture, writing
écrivant, writing; écrivez, write
un écueil, shoal
une écuelle, dish, basin
l'écume, f. foam
effaré, -e, frightened
effectivement, effectively
en effet, in fact
un effort, an effort
égal, -e, equal
une église, a church; à l'église, at church
égoïste, selfish
égorger, to murder
eh bien, well
s'élancer, to rush
s'élève, rises
un élève, a pupil
élevé, -e, brought up
élever, to bring up
élire, to elect; élu, elected
elle, she, it, her
elles, they, them
s'éloigner, to go away
éloquent, -e, eloquent
un émail, enamel
une embouchure, mouth of a river
embrasser, to embrace, kiss
s'embrouiller, to get confused
emmener, to take along
une émotion, emotion
émouvant, -e, touching
empêcher, to prevent
emphatique, emphatic
s'emplir de, to fill with; be filled with

un emploi, a use
on emploie, we use; s'emploient, are used
un employé, clerk, person employed
employer, to employ
emporter, to carry off
s'empresser de, to hasten
emprunter, to borrow
ému, -e, moved, affected
en, in, while, by; some, any, of it, of them
encore, still, again; pas encore, not yet
encorné, -e, horned; autrement encorné, with much larger horns
l'encre, f. ink
un encrier, an inkstand
endormi, -e, asleep
s'endort, falls asleep
endosser, to put on
un endroit, spot, place
une enfance, childhood
un enfant, a child; bon enfant, goodnatured
enfantin, -e, childish
enfermer, to lock up
enfin, at last, finally
enfoncé, -e, pulled down
s'enfoncer, to disappear
s'enfuit, flees
engraisser, to fatten
enguirlander, to wreathe
enjamber, to step over
un ennemi, an enemy
s'ennuyer, to become bored; il s'ennuie, he is bored

ennuyeux, ennuyeuse, tiresome
énorme, enormous
enrager, to enrage
enroué, -e, hoarse
l'enseignement, *m.* teaching
enseigner, to teach
ensemble, together
ensuite, afterwards
entendre, to hear; **entendre parler de,** to hear of
entier, entière, entire
entièrement, entirely
entourer, to surround
entraîner, to carry along, inspirit
entre, between, among
l'entre-classes, *m.* intermission
entrer, to enter
envahi, -e, invaded
envelopper, to surround
envers, towards
une envie, desire; **une envie folle,** mad desire; **avoir envie de,** to have a desire to, feel like
environ, about
les environs, *m.* vicinity
envoyer, to send
épais, épaisse, thick
une épaule, a shoulder
une épée, a sword
épeler, to spell
épier, to spy, watch
une époque, an epoch, time
une épreuve, an ordeal
une escadre, a fleet
un esclave, a slave
l'Espagne, *f.* Spain

l'espagnol, *m.* Spanish
une espérance, hope
espérer, to hope
j'espère, I hope
un espiègle, a little rogue
un espoir, a hope
un esprit, a spirit, intelligence
essayer, to try
essoufflé, -e, out of breath
l'est, *m.* east
est-ce? is it? is this? is that?
estimer, to esteem
et, and
une étable, a stable, shed, cattle shed
un étage, a story
il était, he was, there was.
étaler, to display
les États-Unis, United States; **aux États-Unis,** in the United States
été, been
un été, a summer
s'éteignirent, went out, disappeared
éteindre, to extinguish
un étendard, a standard
s'étendre, to stretch
éternel, éternelle, eternal
une étiquette, etiquette, ticket
une étoffe, material
une étoile, a star
étonné, -e, astonished
s'étonner, to be surprised
étouffer, to choke, suffocate
étourdi, -e, thoughtless; **à l'étourdie,** thoughtlessly
un étranger, a foreigner

être, to be; être de toutes les parties, to be in all games
étroit, –e, narrow
étroitement, narrowly
une étude, a study
étudier, to study
eu, had
l'euphonie, *f.* euphony; par euphonie, for the sake of sound
eux, they, them
exactement, exactly
un examen, an examination
excepté, except
une exception, an exception; à l'exception de, with the exception of
une exclamation, exclamation
excuser, to excuse
un exemple, an example
une existence, a life
expirant, dying
une explication, an explanation
expliquer, to explain
un exploit, a feat
s'exposer, to expose oneself
exprès, purposely
exprimer, to express
on extrait, one extracts; extrait de, taken from
extraordinaire, extraordinary
une extrémité, end

F

la fable, fable
en face de, opposite, in the presence of
fâché, –e, angry
se fâcher, to get angry
facile, easy
facilement, easily
la facilité, ease
faciliter, to facilitate, make easy
la façon, way, fashion
le facteur, postman
de faction, *f.* on duty
fade, insipid
faible, weak
faiblir, to weaken
la faim, hunger; avoir faim, to be hungry; grand'faim, very hungry
faire, to make, do; se faire à, to become accustomed to; faire la classe, to teach; faire la connaissance de, to make the acquaintance of; faire la cour, to pay court; faire dire, to send word; faire entrer, to show in; faire l'exercice, to drill; se faire faire force compliments, to draw many compliments upon oneself; faire fête à, to welcome; faire l'homme, to be manly; faire lever le siège, to cause the siege to be raised; faire observer, to call to the attention; faire parvenir, to deliver; faire une promenade, to take a walk; faire sacrer, to have anointed; faire sortir, to put out; se

faire vieux, to be getting old; faire une malle, to pack a trunk; faire plaisir, to give pleasure
faisant, making, doing
vous faisiez, you were making, doing
fait ronron, purrs; il fait venir, he sends for; ne me faites pas de mal, do not hurt me; cela ne fait rien, that makes no difference
la falaise, cliff
fallu; combien de temps a-t-il fallu? how long did it take?
fameux, fameuse, famous
la famille, family
fatigué, –e, tired
fatiguer, to tire
il faudra que Jean, John will have to
il faudrait, it would take
il faut, one needs, must; faut-il longtemps? does it take long? il faut deux jours, it takes two days
la faute, mistake, error
le fauteuil, armchair
faux, fausse, wrong, false
favori, favorite, favorite
féconder, to be productive
féminin, –e, feminine
la femme, woman, wife
la fenêtre, window
le fer, iron
il fera, he will do, will make; feras-tu? will you do? ferez-vous? will you do?

fermer, to close; fermer à double tour, to lock with a double turn of the key
féroce, fierce
la fête, birthday, saint's day
fêter, to celebrate
le feu, fire
la feuille, leaf, sheet
février, m. February
fidèle, faithful
la fidélité, faithfulness
fier, fière, proud
le figuier, fig tree
la figure, face, figure
le fil, thread, string
la filature, spinning-mill
le filet, net
la fille, daughter, girl
la fillette, little girl
le fils, son
la fin, end
finir, to finish
il fit, he made, did
fixer, to stare, fix, fasten
la flanelle, flannel
flatter, to flatter
la fleur, flower; la fleur de lis, fleur-de-lis, lily flower
le fleuve, river (*long and deep*)
la flotte, fleet
flotter, to wave, float
la foi, faith; ma foi, in truth, I declare
une fois, once; fois, times
la folle, the foolish one
le fond, bottom; au fond, at the back, at heart
font, make, are

la **force**, strength
forcer, to force, oblige
la **forêt**, forest
le **forgeron**, blacksmith
former, to form
fort, –e, strong; **fort**, *adv.* very, very hard
le **fort**, fort
la **fortune**, fortune
la **fosse**, grave
le **fossé**, ditch, moat
la **fossette**, dimple
fou, fol, folle, mad
le **fouet**, whip
la **foule**, crowd
la **fourmi**, ant
fournir, to furnish
la **fourrure**, fur
fraîchir, to get cool
frais, fraîche, fresh, cool
la **fraise**, strawberry
franc, franche, frank
le **franc**, franc (*twenty cents*)
français, –e, French
le **Français**, Frenchman
la **France**, France
franchement, frankly
franchir, to cross
frapper, to strike, knock
fraternel, fraternelle, brotherly
la **frayeur**, fright
la **frégate**, frigate
fréquent, –e, frequent
le **frère**, brother
la **friandise**, dainty bit, delicacy
fripon, friponne, roguish
froid, –e, cold

frôler, to graze, touch lightly
le **fromage**, cheese
froncer le sourcil, to frown
frotter, to rub
le **fruit**, fruit, result
la **fumée**, smoke
fumer, to smoke
les **funérailles**, funeral
furieux, furieuse, furious
le **fusil**, gun
fut, was

G

gagner, to gain, reach, earn
gai, –e, cheerful, gay
gambader, to frolic
le **gant**, glove
le **garçon**, boy
en **garde**, on guard
garder, to keep; **gardez-vous de**, take care not to
garnir, to trim, line
le **gâteau**, cake
gâter, to spoil
gauche, left; **à ma gauche**, on my left
le **gaz**, gas
le **gazon**, sod, turf
le **géant**, giant
se **gêner**, to put oneself to inconvenience
général, –e, general
le **général**, general
généralement, generally
la **génération**, generation
généreusement, generously
généreux, généreuse, generous

le genêt, furze
le genou, knee; à genoux, on one's knees
le genre, gender
les gens, people; les jeunes gens, young men
gentil, gentille, nice, pretty
le germe, germ
une glace, ice cream
une glissade; faire des glissades, go sliding
glisser, to slide, slip
la gloire, glory
la gomme, eraser
le gourmand, the greedy one
le goût, taste
le gouvernement, government
la grâce, pardon, favor
gracieux, gracieuse, graceful
le grain, seed, grain
la grammaire, grammar
grand, –e, large, tall, great
la grandeur, size, greatness; de grandeur moyenne, of medium size
grandir, to grow
la grand'mère, grandmother
le grand-oncle, great-uncle
le grand-père, grandfather
gras, grasse, fat
grave, serious
la gravure, picture
le grec, Greek
le grenier, garret, attic
griffer, to scratch
le grillage aux affiches, bulletin board covered with a wire grating

grimper à un arbre, to climb a tree
le grincement, grating
gris, –e, gray
grisâtre, grayish
gronder, to scold
gros, grosse, large, big
grossir, to make bigger, enlarge
guérir, to cure
la guerre, war; à la guerre, at war
guetter, to watch, spy
le guichet, wicket, small dow
la guise, fancy

H

habile, skillful, clever
s'habiller, to dress oneself
un habit, a coat; des habits, clothes
un habitant, an inhabitant
habiter, to live, dwell
une habitude, a habit; d'habitude, usually
habituel, habituelle, usual
s'habituer à, to accustom oneself to
la 'hache, ax, hatchet
la 'haie, hedge
l'haleine, f. breath
une hallucination, a hallucination, delusion
le 'hanneton, June bug
le 'haricot vert, string bean
la 'hâte, haste; en hâte, in

haste; **avoir hâte de,** to be eager to
'haut, −e, high, aloud; **là-haut,** above, up there
'hautement, loudly, resolutely
la **'hauteur,** height
hélas ! alas !
l'**herbe,** *f.* grass; **la mauvaise herbe,** weed
une **héroïne,** a heroine
hésiter, to hesitate
une **heure,** an hour, time, o'clock; **être de bonne heure,** to be early
heureusement, happily
heureux, heureuse, happy
hier, yesterday; **hier soir,** last evening
une **histoire,** a story, history; **histoire sainte,** Bible history
historique, historical
un **hiver,** a winter
un **homme,** a man; **homme de lettres,** man of letters
honnête, honest
l'**honneur,** *m.* honor
'honteux, 'honteuse, ashamed
un **horizon,** horizon
une **horloge,** clock, turret-clock
hors de, beyond
une **hospitalité,** hospitality
le **'houblon,** hops
la **'houppelande** overcoat
une **huile,** oil
'huit, eight
'huitième, eighth
humain, −e, human

un **humain,** a human being
humblement, humbly
humide, damp
le **'hurlement,** howling, howl
'hurler, to howl

I

ici, here
une **idée,** an idea
une **ignorance,** ignorance
ignorant, −e, ignorant
ignorer, to be ignorant of, not to know
il, he, it
une **île,** an island
il y a, there is, there are
une **image,** a picture
immédiatement, immediately
immense, immense, great
immobile, motionless
une **immobilité,** quietness
impatient, −e, impatient
qu'importe ? what does it matter?
imposer, to impose, inflict
impur, −e, impure
un **incendie,** a fire, burning
incertain, −e, uncertain
s'incliner, to bow
incomparable, incomparable, matchless
indépendant, −e, independent
indirect, −e, indirect
une **industrie,** industry
industriel, industrielle, industrial
infiniment, infinitely
une **inflexion,** inflection, variation

infliger, to inflict
injustement, unjustly
une inoculation, an inoculation, vaccination
inonder, to flood
inspection, inspection
inspirer, to inspire, instil
un instant, an instant
une instruction, learning, education
instruire, to instruct, teach
instruit, –e, learned
une intelligence, intelligence
intelligent, –e, intelligent
intéressant, –e, interesting
un intérêt, interest
intérieur, –e, interior
interroger, to question
un intervalle, an interval; à des intervalles de, at intervals of
introduire, to introduce
invariable, invariable
une invention, an invention
inviter, to invite
j'irai, I shall go
ironique, ironical
irrégulier, irrégulière, irregular
l'italien, Italian
l'ivoire, *f.* ivory

J

le jabot, ruffle (*on a shirt front*)
jamais, ever; ne ... jamais, never
la jambe, leg
janvier, *m.* January
le jardin, garden
jaune, yellow
je, I
jeter, to throw
se jettent, empty
le jeu, game
le jeudi, Thursday
jeune, young
la jeunesse, youth
la joie, joy
joindre, to join
joli, –e, pretty
jouer, to play; jouer à cache-cache, to play hide and seek; jouer à la balle, to play ball; jouer à saute-mouton, to play leap-frog; jouer aux billes, to play marbles; jouer du piano, to play the piano.
le jouet, toy
le jour, day; jour de congé, holiday
le journal, newspaper
la journée, day
le juge, judge
juger, to judge
juillet, *m.* July
juin, *m.* June
la jupe, skirt
le jupon, petticoat
jusque, jusqu'à, to, until, even, as far as; jusqu'à ce qu'il ait, until he has
juste, right; juste à l'heure, just on time
justement, exactly, precisely

L

la, the, her, it
là, there; là-bas, over there
le laboratoire, laboratory
labourer, to plow, till
le laboureur, farmer
lâche, cowardly
là-dedans, therein
là-dessus, thereupon
là-haut, up there, above
la laine, wool
laisser, to leave, let
le lait, milk
la laitière, milkmaid
lancer, to throw, hurl
la langue, language, tongue
languir, to pine away
laper, to lap, lick up
large, wide, broad; du large, space
la larme, tear
le latin, Latin
le lavabo, washstand
le lavatoire, lavatory
se laver, to wash
le, the, him, it, so
la leçon, lesson
la lecture, reading
léger, légère, light
le légume, vegetable
le lendemain, next day
lentement, slowly
lequel, laquelle, lesquels, lesquelles, who, whom, which
les, the, them
lestement, nimbly
la lettre, letter

leur, to them; leur, leurs, their; le leur, la leur, les leurs, theirs
il lève, he raises; il se lève, he gets up
lever, to raise, lift
se lever, to rise, get up; nous nous levions, we rose, got up
la liberté, liberty
libre, free, at liberty, unoccupied
lier, to bind, connect
le lieu, place; a eu lieu, took place; au lieu de, instead of
la ligne, line
le lin, flax
le linge, linen (*made up*)
le lion, lion
lire, to read; se lit, is read
lisant, reading
lisez, read
la lisière, edge
le lit, bed
la livre, pound
le livre, book
le logement, lodging, dwelling
la loi, law
loin de, far from
Londres, London
long, longue, long; le long de, along, alongside; tout au long, at length, alongside
longtemps, a long time, long
la longueur, length
lors, depuis lors, since then
lorsque, when

louer, to praise, rent
le loup, wolf
lourd, -e, heavy
lu, -e, read
la lueur, glimmer, light
lui, he, him, to him, to her
lui-même, himself
luire, to shine
luisant, shining
la lumière, light
le lundi, Monday
les lunettes, *f.* spectacles
il lut, he read
lutter, to struggle
le lycée, a school which covers the work of a high school plus two years of college

M

ma, my
machinalement, mechanically
madame, madam, Mrs.
mademoiselle, Miss
le magasin, store
magnifique, magnificent
mai, *m.* May
maigre, lean, meager, thin
maigrir, to grow thin
la main, hand
maintenant, now
le maire, mayor
la mairie, townhall
mais, but
la maison, house; **maison d'appartements,** an apartment house; **à la maison,** at home
la maisonnette, little house
le maître d'école, schoolteacher
la maîtresse d'école, schoolteacher
la majesté, majesty
majestueux, majestueuse, majestic
le mal, les maux, evil, illness
mal, badly
malade, ill
la maladie, illness
mâle, manly
malgré, in spite of
le malheur, misfortune; **par malheur,** unfortunately
malheureusement, unfortunately
malheureux, malheureuse, unhappy, unfortunate
la malle, trunk
la maman, mamma; **bonne maman,** grandma
la manche, sleeve
la Manche, English Channel
manger, to eat; **mangé aux bords,** worn out at the edges
la manière, manner; **de manière que,** in order that
manipuler, to handle
manœuvrer, to maneuver, work
manquer, to miss, be lacking; **manquer la classe,** to cut class
le marbre, marble
la marchande, the tradeswoman
la marchandise, goods, merchandise

le **marché**, market
marcher, to walk, march
le **mardi**, Tuesday
la **marelle**, hopscotch
le **mari**, husband
marié, -e, married
la **marine**, navy; **marine militaire**, navy
le **maroquin**, morocco leather
marquer, to indicate
mars, *m*. March
masculin, -e, masculine
massif, massive, massive
le **matelot**, sailor
la **matière**, matter, substance, material
le **matin**, morning
maudit, -e, detestable
mauvais, -e, bad
me, me, to me
méchamment, wickedly
méchant, -e, naughty
mécontent, -e, dissatisfied
la **médaille**, medal
le **médecin**, doctor
le **médicament**, medicine
la **Méditerranée**, Mediterranean
meilleur, -e, better
se **mêler**, to mingle
membre, member
même, same, self, even; **de même**, likewise; **tout de même**, all the same
le **ménage**, household; **faire le ménage**, to do the housework
le **mendiant**, beggar
je **mens**, I am telling an untruth

le **menteur**, liar, untruthful person
mentir, to lie, tell a falsehood
le **menton**, chin
le **menu**, bill of fare
le **menuisier**, carpenter
la **mer**, sea
le **mercredi**, Wednesday
la **mère**, mother
mériter, to deserve
le **merle**, blackbird
à **merveille**, wonderfully well
merveilleux, merveilleuse, marvelous, wonderful
mes, my
la **messe**, mass
les **messieurs**, gentlemen
messire, messire, master
mesurer, to measure
la **métairie**, farm (*the rent of which consists of half the produce*)
la **méthode**, method
le **métier**, trade, profession
le **mètre**, meter (*39 inches*)
mettant, putting; **il met**, he puts; **ils mettent**, they are putting
mettre, to put, wear; **mettre à la porte**, to put out; se **mettre à**, to begin; **se mit à**, began
le **meuble**, piece of furniture
il **meurt**, he is dying
le **microbe**, microbe
midi, *m*. noon, south
le **mien, la mienne, les miens, les miennes**, mine

mieux, *adv.* better
mignon, mignonne, dear, darling
le milieu, middle; au milieu de, in the center of
militaire, military
mille, thousand
le mille, mile
un millier, thousand
minuit, *m.* midnight
la minute, minute
mis, –e, put
misérable, wretched; les misérables, the wretches
la misère, poverty, trouble
il mit, he put; se mit à genoux, knelt
se mit en route, started out
mobile, movable
la modiste, milliner
moi, I, me
le moindre, the lesser
moins, *adv.* less, minus; au moins, at least
le mois, month; a month's salary
moissonner, to harvest, reap
la moitié, half
le moment, moment; au moment de, at the time when; au moment où, just as; du moment que, since
mon, ma, mes, my
le monde, world, people
monsieur, sir, Mr., gentleman
le monstre, monster
la montagne, mountain
monter, to go up, rise, climb; monter à cheval, to ride horseback
la montre, watch
montrer, to show
se moquer de, to make fun of, laugh at
la morale, moral
le morceau, piece
mordre, to bite
mort, –e, died, dead
la mort, death
mortel, mortelle, mortal, deadly
mortellement, mortally
le mot, word
la mouche, fly
le mouchoir, handkerchief
moudre, to grind
vous mourez, you die
mourir, to die
le mousquetaire de faction, musketeer on duty
la moustache, mustache
le mouton, sheep, mutton
le mouvement, movement
se mouvoir, to move
le moyen, means; au moyen de, by means of
muet, muette, silent, mute
mugir, to roar
la munition, ammunition
le mur, wall
le mûrier, mulberry tree
le museau, snout, nose (*of an animal*)
la musique, music
mystérieux, mystérieuse, mysterious

N

naître, to be born
la nappe, tablecloth
il naquit, he was born
la narine, nostril
natal, −e, native
la nation, nation
national, −e, national
la nature, nature
la neige, snow
ne ... jamais, never
ne ... ni ... ni, neither ... nor
ne ... nul, nulle, no, not any
ne ... pas, not
ne ... personne, no one
ne ... plus, no more, no longer
ne ... plus que, but, only
ne ... que, only, but
ne ... rien, nothing
né, −e, born
nécessaire, necessary
nettoyer, to clean
neuf, nine
neuf, neuve, new
neuvième, ninth
le neveu, nephew
le nez, nose
la niaiserie, nonsense
le nid, nest
la nièce, niece
noble, noble
la noblesse, nobility, nobleness
le Noël, Christmas
noir, −e, black
le nom, noun, name
le nombre, number
nombreux, nombreuse, numerous
nommer, to name, mention
non, no; non pas, not
le nord, north
normand, −e, Norman
la Normandie, Normandy
nos, our
la note, mark, bill
notre, nos, our
le nôtre, la nôtre, les nôtres, ours
nourrir, to nourish, feed
la nourriture, food
nous, we, us, to us
nouveau, nouvelle, new, other; de nouveau, again
la nouvelle, news
novembre, *m.* November
noyé, −e, drowned, bathed
le noyer, walnut tree
le nuage, cloud
nuire, to harm, injure
la nuit, night
nu-pieds, barefoot

O

obéir, to obey
objecter, to object
un objet, an object; objet d'art, work of art
obligatoire, obligatory
obliger, to oblige, force
obscur, −e, dark, little known
observer, to observe, notice

obtenir, to obtain; **obtenu,** obtained
occupé, -e, occupied, busy
occuper, to occupy; **s'occuper des écritures,** to keep the accounts
l'**Océan Atlantique,** *m.* Atlantic Ocean; l'**Océan Pacifique,** Pacific Ocean
octobre, *m.* October
une **odeur,** an odor
un **œil,** an eye
un **œuf,** an egg
une **œuvre,** a work
un **officier,** an officer
il **offre,** he offers
offrir, to offer
un **oiseau,** a bird
une **olive,** an olive
un **olivier,** an olive tree
une **ombre,** a shadow
on, one, people, we, they
un **oncle,** an uncle
onze, eleven
onzième, eleventh
l'**or,** *m.* gold
or, now, but
une **orange,** an orange
un **oranger,** an orange tree
d'**ordinaire,** usually
ordinairement, usually
ordonner, to order, command
un **ordre,** an order, command
une **oreille,** an ear
l'**Orient,** *m.* East
une **origine,** an origin
un **os,** a bone
oser, to dare
ôter, to take off
ou, or; **ou . . . ou,** either . . . or
où, where, when
oublier, to forget
l'**ouest,** *m.* west
oui, yes
en **outre,** besides
ouvert, -e, opened
une **ouverture,** an opening
un **ouvrage,** a piece of work
il **ouvre,** he opens; **ouvrez,** open
un **ouvrier,** a workman
ouvrir, to open

P

la **page,** page
je **paierai,** I shall pay
la **paille,** straw
le **pain,** bread; un **pain,** a loaf of bread; **pain à discrétion,** as much bread as one wants
le **palais,** palace
pâle, pale
le **panier,** basket
le **papa,** papa; **papa-gâteau,** daddy sugarplum
le **papier,** paper
le **paquet,** package
par, by, through
le **paragraphe,** paragraph
il **paraissait,** he seemed, appeared
il **paraît,** it appears
paraître, to appear
le **parapluie,** umbrella
le **parc,** park

VOCABULAIRE FRANCAIS-ANGLAIS

parce que, because, inasmuch as
le **pardessus**, overcoat
par-dessus, above
pareil, pareille, similar, like
le **parent**, parent, relative
paresseux, paresseuse, lazy
parfait, -e, perfect
parfaitement, perfectly
parier, to wager
le **Parisien**, Parisian
parler, to speak, talk
le **parloir**, school parlor
parmi, among
le **parquet**, hardwood floor
la **part**, share; **pour une part**, in part
à **part**, aside, except
partager, to share
par terre, on the floor, on the ground
le **participe**, participle
particulier, particulière, particular, private
la **partie**, part; **une partie de plaisir**, a pleasure trip
partir, to go away, leave
à **partir de**, from this time on
partitif, partitive, partitive
partout, everywhere
paru, appeared
parvenir, to reach, attain
le **pas**, step, pace; **à grands pas**, with long strides
le **Pas de Calais**, Straits of Dover
pas du tout, not at all; **non pas que**, not that

le **passage**, passage
la **passe**, channel
passer, to pass; **se passer**, to go on, happen; **passer et repasser**, to pass up and down
patatras! bang!
le **pâté**, blot
la **patience**, patience
le **patois**, dialect
la **patrie**, country
le **patron**, employer
la **patte**, paw
le **pâturage**, pasture-land
la **paupière**, eyelid
pauvre, poor
la **pauvreté**, poverty
la **pauvrette**, poor little thing
payer, to pay
le **pays**, country
le **paysan**, la **paysanne**, peasant
la **peau**, skin
la **pêche**, peach; fishing
pêcher, to fish
pêcher, to fish
peignant, painting
le **peigne**, comb
se **peigner**, to comb one's hair
peindre, to paint
la **peine**, difficulty, sorrow; **à peine**, hardly; **ce n'est pas la peine**, it isn't worth while
le **peintre**, painter
pêle-mêle, pell-mell, recklessly
peler, to peel, make bald, bare
la **pelle**, shovel
pendant, during; **pendant que**, while

pendre, to hang
pendu, -e, hung
la pendule, clock
pénétrer, to go through, enter
la pensée, thought
penser, to think; penser à, to think of; pensez donc! just think! je pense que oui, I think so
le pensionnaire, boarder
la pente, slope
percer, to pierce
percher, to perch
perdre, to lose
perdu, -e, lost
le père, father
perler, to bead, glisten
permettre, to permit
la personne, person
personne . . . ne, no one, nobody
personnel, personnelle, personal
petit, -e, small, little
le petit-fils, grandson
le petit-neveu, grandnephew
un peu, a little, somewhat; peu de, few, little
à peu près, about
le peuple, people, nation
la peur, fear; de peur que, for fear that
il peut, he can
peut-être, perhaps
ils peuvent, they can
je peux, I can
la photographie, photograph
la phrase, sentence

le pic, peak
la pièce, room; play
le pied, foot
Pierre, Peter
la pierre, stone
le pieu, stake
le pigeon, pigeon
piocher, to dig; work hard
la pipe, pipe
le pique-nique, picnic
la piqûre, prick, wound
la pitié, pity
la place, place, square
ils se placent, they are placed
plaindre, to pity
la plaine, plain
la plainte, complaint
plaire, to please
le plaisir, pleasure
la plante, plant
planter, to plant
plat, -e, flat
le plat, dish
le plateau, plateau
plein, -e, full
pleurer, to cry, mourn
plissé fin, finely plaited
le plomb, lead
plonger, to plunge
la pluie, rain
la plume, pen, feather
le pluriel, plural
plus, more; ne . . . plus, no more; ne . . . plus que, nothing else but; non plus, either
plusieurs, several
la poche, pocket

le **poêle**, stove
le **poids**, weight
le **poil**, hair (*of animals*)
le **poing**, fist
le **point**; **un bon point**, a good mark; **ne ... point**, not at all
pointu, –e, pointed, sharp
la **poire**, pear
le **poirier**, pear tree
les **pois**, **les petits pois**, green peas
la **poitrine**, chest, breast
poli, –e, polite
poliment, politely
polir, to polish
la **pomme**, apple
la **pomme de terre**, potato
la **pompe**, splendor
le **pont**, bridge
le **port**, seaport
la **porte**, door; **porte de communication**, communicating door; **porte à porte**, next door
la **portée**, reach
le **porte-monnaie**, purse
porter, to carry, wear, bear
poser, to place; **il pose une question**, he asks a question
il **possède**, he possesses
le **pot au lait**, milk jar
le **potage**, soup
la **poudre**, powder
la **poule**, hen
la **poupée**, doll
pour, for, in order to; **pour que**, in order that

pourpre, purple
pourquoi, why
il **pourra**, he will be able, can
il **pourrait**, he would be able, could
la **poursuite**, pursuit
pourvu que, provided that
pousser, to push, grow, utter
la **poussière**, dust; **la poussière humide**, spray
je **pouvais**, I could
vous **pouvez**, you can
nous **pouvons**, we can
se **pratiquer**, to be administered
le **pré**, meadow
la **précaution**, care
précédent, preceding, previous
précéder, to precede, **il précède**, it precedes
précieux, précieuse, precious
se **précipiter**, to rush
précis, –e, exact
la **préférence**, preference, choice
préférer, to prefer
premier, première, first
prenant, taking
il **prend**, he takes
prendre, to take; **prendre bien garde**, to be very careful, look out
prenez, take
ils **prennent**, they take
préparer, to prepare
près de, near; **tout près de**, very near
la **présence**, presence
présent, present

présenter, to introduce, present
présenter, to preserve, keep
presque, almost
presser, to press
se presser, to hurry
prêt, −e, à, ready to
prétendre, to pretend, claim
prêter, to lend
je préviens, I warn
prier, to pray, beg; **je vous en prie,** I beg of you
la prière, prayer
principal, −e, principal
le printemps, spring
pris, −e, taken
la prison, prison
le prisonnier, prisoner
il prit, he took
la privation, privation, hardship
priver, to deprive
le prix, price, prize; **à tout prix,** at any cost
la probité, honesty
le problème, problem
la procession, procession
prochain, −e, next
produire, to produce
le produit, produce
le profit, profit
profiter de, to take advantage of
prolonger, to prolong
se promener, to take a walk
la promesse, promise
promettre, to promise
promis, −e, promised
le pronom, pronoun

proposer, to propose, suggest
la proposition, clause
propre, clean
proprement, neatly, nicely
la propreté, cleanliness
protéger, to protect
prouver, to prove
la province, province
le proviseur, principal
prudent, −e, prudent
le Prussien, Prussian
pu; **on aurait pu,** one could have; **j'ai pu,** I could
je puis, I can
puis, then, afterwards
puisque, since
la puissance, power
puissant, −e, powerful
le puits, well
punir, to punish
la punition, punishment
le pupitre, desk
il put, he could

Q

le quadrupède, quadruped
il qualifie, it qualifies
la qualité, quality
quand, when; **quand même,** anyhow
la quantité, quantity
quarante, forty
le quart, quarter, fourth (*part*)
le quartier, quarter, district
quatorze, fourteen
quatorzième, fourteenth

quatre, four
quatre-vingt-dix, ninety
quatre-vingts, eighty
quatrième, fourth
que, whom, which, that; what? how! how many! how much! than, as, why; ce que, what
quel, quelle, what, which
quelque, some, any; quelques, a few
quelque chose, *m.* something; il a quelque chose, there is something the matter with him
quelquefois, sometimes
quelqu'un, quelques-uns, some one, some
qu'est-ce que c'est que ceci? what is this?
qu'est-ce que c'est que cela? what is that?
qu'est-ce qui? what? qu'est-ce qui est arrivé? what has happened? qu'est-ce qu'il y a? what is the matter?
la question, question
le questionnaire, set of questions
la queue, tail; en queue, at the end
qui, who, which, that, whom; à qui, whose; ce qui, what
quinze, fifteen
quinzième, fifteenth
la quittance, receipt
quitter, to leave
quoi, what

R

raconter, to relate, tell
le radical, stem
la rage, rage, hydrophobia
raide, stiff
le raisin, grape, grapes
la raison, reason; avoir raison, to be right
raisonnable, reasonable, sensible
ramasser, to pick up
ramener, to bring back
la rancune, grudge, ill feeling
rangé, –e, in order, settled down
la rangée, row
rapide, rapid, quick
se rappeler, to remember, recall
rapporter, to bring in
rapproché, –e, close, near by
rare, scarce
rarement, rarely
rassembler, to gather together
le rat, rat
le ravage, devastation
ravi, –e, delighted
le ravin, ravine
se raviser, to change one's mind
le ravissement, delight
elle recevra, she will receive
réchauffer, to warm over
réciter, to recite
réclamer, to claim
la récolte, harvest
recommander, to recommend
la récompense, reward
reconnaissant, –e, grateful

reconnaître, to recognize
reculer, to recede, draw back
il reçut, he received
la redingote, frock-coat
redoubler, to redouble, increase
redouter, to dread
se redresser, to straighten up; stand erect
le réfectoire, refectory, dining-hall
réfléchir, to reflect, think
la réflexion, reflection, thought
refuser, to refuse
le regard, gaze, look
regarder, to look at
le régime, object
le régiment, regiment
la règle, ruler, rule
le regret, regret
regretter, to regret
la reine, queen
il rejoint, he rejoins
relier, to bind
reluire, to shine; reluisaient, were shining
remarquer, to notice
le remède, remedy
remerciement, thanks
remercier de, to thank for
remettre, to put off, put back
remis, –e, put off, put back; recovered, delivered
remonter, to wind up, go up, draw up
remplacer, to replace
remplir de, to fill with
remporter, to win

remuer, to dig up; move
le renard, fox
rencontrer, to meet
rendre, to give back; rendre leurs devoirs, to pay their respects; se rendre, to go, proceed
renfermer, to enclose, contain
renier, to disown
le renom, renown
renseigner, to inform
la rentrée, reopening of school
rentrer, to return home
repartir, to set out again
le repas, meal
repasser, to go over again
se repentir, to repent
répéter, to repeat
répondre, to answer; répondez-y, answer them
reposer, to rest
reprendre, to resume; reprenant, continuing
représenter, to stand for, show, represent
reprises; à deux reprises, two different times; à plusieurs reprises, several different times
il reprit, he continued
le reproche, reproach
reprocher, to reproach
la république, republic
la réquisition, requisition
résister, to resist
il résolut, he resolved
résoudre, to resolve, solve
le respect, respect

respectable, respectable
respectueusement, respectfully
la **ressemblance,** resemblance
ressembler, to resemble
le **reste,** remainder; **les restes,** remains; **du reste,** moreover
rester, to remain, stay; **il restait,** there remained
en **retard,** late
retenir, to hold back, keep in, remember
retentir, to resound
en **retenue,** kept in
se **retirer,** to withdraw, retire
le **retour,** return
retourner, to go back, turn up
se **retourner,** to turn around
réunir, to gather together
réussir, to succeed
le **réveille-matin,** alarm clock
se **réveiller,** to waken; **réveille-toi,** wake up
révéler, to reveal
revenir, to come back
revenu, –e, come back
rêver, to dream
revêtir, to put on
il **revient,** he comes back; **prix de revient,** cost price
il **revint,** he came back
la **revue,** review
le **rez-de-chaussée,** ground floor
en **riant,** laughingly
riche, rich
la **richesse,** wealth; source of wealth

ridé, –e, wrinkled
le **rideau,** curtain
rien, ne . . . rien, nothing; **rien que,** nothing but
rire, to laugh
il **rit,** he laughs
la **rive,** bank
la **rivière,** river
la **robe,** dress
robuste, robust, hardy
le **roc,** rock
la **roche,** rock
le **rocher,** rock
Rocheuses, Rocky
le **roi,** king
le **roman,** novel
rompre, to break
rond, –e, round; **en rond,** in a ring
la **ronde,** round handwriting
ronger, to gnaw
le **rosbif,** roastbeef
la **rose,** rose
roucouler, to coo
rouge, red
rougir, to redden, blush
le **roulement,** rolling
rouler, to roll
la **route,** road
le **royaume,** kingdom
le **ruban,** ribbon
la **rue,** street
rugir, to roar
la **ruine,** ruin
ruisselant, –e, dripping
rural, –e, rural
la **ruse,** trick, stratagem
la **Russie,** Russia

S

sa, his, her, its
le sabot, wooden shoe; hoof
le sac, bag
sachant, knowing
je sache, I may know
sacré, −e, sacred
sacrer, to crown
le sacrifice, sacrifice
sage, well-behaved, wise
saint, −e, saint, holy
je sais, I know
saisir, to seize
saisissant, seizing, chilling
il sait, he knows
la salade, salad
le salaire, salary
sale, dirty
salir, to soil
la salle, room; salle à manger, dining room; salle de bain, bathroom; salle de classe, classroom
le salon, parlor, drawing-room
saluer, to bow, salute
le samedi, Saturday
le sang, blood
sanglant, −e, bloodstained
sans, sans que, without
la santé, health
le sapin, fir tree
le satin, satin
le saucisson, sausage
sauter, to jump; saute-mouton, leapfrog
en sautoir, slung over the shoulder
sauvage, wild
sauver, to save
le sauveur, the saviour
il savait, he knew
savant, −e, learned
le savant, scholar
vous savez, you know
savoir, to know
le savoir, knowledge
le savon, soap
nous savons, we know
savoureux, savoureuse, savory, sweet
la scène, scene
la science, science
scientifique, scientific
scier, to saw
la scierie, saw-mill
se, himself, to himself, herself, themselves, *etc.*
sec, sèche, dry
sécher, to dry
second, −e, second
la seconde, second
secourir, to help
le secours, help
le secrétaire, secretary
le seigneur, lord, nobleman
seize, sixteen
seizième, sixteenth
le sel, salt
selon, according to
la semaine, week; par semaine, a week
sembler, to seem
semer, to sow; il sème, he sows
le Sénat, Senate

VOCABULAIRE FRANÇAIS–ANGLAIS

le **sénateur,** senator
le **sens,** sense
le **sentiment,** feeling
sentir, to feel; smell
séparer, to separate
sept, seven
septembre, *m.* September
septième, seventh
sérieux, sérieuse, serious
serpenter, to wind
serrer, to hold firmly
le **sérum,** serum
le **service,** service; **au service de,** in the employ of
la **serviette,** towel, napkin
servir, to serve; **on se sert de,** we use; **à quoi sert?** what is the use of?
ses, his, her, its
le **seuil,** threshold
seul, –e, single, alone, only
seulement, only
si, so, if
le **siècle,** century
le **siège,** siege
le **sien, la sienne, les siens, les siennes,** his, hers, its
siffler, to whistle
le **signe,** sign
le **silence,** silence
silencieux, silencieuse, silent, quiet, still
le **sillon,** furrow
s'il vous plaît, if you please
simple, simple
sincèrement, sincerely
le **singulier,** singular
le **sire,** sire, lord

la **situation,** position
situé, –e, situated
six, six
sixième, sixth
la **sœur,** sister
soi, oneself
la **soie,** silk
la **soif,** thirst; **avoir soif,** to be thirsty
soigner, to take care of, nurse
soigneusement, carefully
le **soin,** care; **avoir soin de,** to be careful of
le **soir,** evening
la **soirée,** evening
soit . . . soit, whether . . . whether, either . . . or
soixante, sixty
soixante-dix, seventy
le **soldat,** soldier
le **soleil,** sun
solennel, solennelle, solemn
solide, solid, firm
le **solliciteur,** petitioner, solicitor
le **sommet,** summit
son, sa, ses, his, her, its
songer, to think
sonner, to ring, sound, strike
la **sorcière,** sorceress
il **sort,** he goes out
la **sorte,** kind
la **sortie,** exit, departure
sortir, to go out, come out
le **sou,** cent
soudain, suddenly
souffrir, to suffer
souhaiter, to wish
soûl, –e, intoxicated

le soulier, shoe
la soupe, soup; **la soupe au lait,** milk soup
le sourcil, eyebrow
le sourire, smile
sournois, −e, sly, tricky
sournoisement, slyly
sous, under
sous-entendu, −e, understood
sous-officier, non-commissioned officer
soutiens, uphold, support
le souvenir, memory; **de souvenir,** from memory
se souvenir de, to remember
souvent, often
souviens, je me souviens, I remember; **je m'en souviendrai,** I shall remember it
soyez, be
le spectacle, sight, theater
la statue, statue
le store, shade
la stupéfaction, astonishment
stupéfait, −e, astounded
stupide, stupid
subdiviser, to subdivide
subir, to undergo, pass
subordonné, −e, subordinate
le suc, sap
succéder à, to succeed
le sucre, sugar, juice
le sud, south
suffire, to suffice
la Suisse, Switzerland
suivant, following
se suivent-ils? do they follow each other?

suivi, −e, followed
suivre, to follow; **suivre un cours,** to take a course
le sujet, subject
supérieur, −e, superior
supporter, to endure
sur, on, about
sûr, −e, sure
surpris, −e, surprised
surtout, above all
surveiller, to supervise
suspendre, to hang
la syllabe, syllable
la sympathie, sympathy

T

ta, thy
le tabac, tobacco
la table, table; **table des matières,** contents
le tableau, picture, blackboard
le tablier, apron
taché, −e, spotted, stained
la taie d'oreiller, pillowcase
le talent, talent
le tambour, drum
tandis que, whereas
le tanneur, tanner
tant, so much, so many; **tant que,** as long as
la tante, aunt
tantôt, by and by; **tantôt . . . tantôt,** now . . . now
le tapage, noise
taper, to strike
le tapis, rug
tard, late

la tasse, cup
te, thee, to thee
tel, telle, such; un tel père, such a father
tellement, so, so much
le temps, time, weather, tense; de temps en temps, de temps à autre, now and then
tendre, to hold out, extend
tendre, tender, loving
le teneur de livres, bookkeeper
tenir, to hold, hold out, keep; tenir à, to like very much, insist upon
tenter, to tempt
le terrain, ground
terrasser, to knock down
la terre, soil, ground, earth; par terre, on the ground
la terreur, terror
terrible, terrible
tes, thy
la tête, head
le thé, tea
le thème, exercise
le tien, la tienne, les tiens, les tiennes, thine
tiens! why, behold
on tient, one holds
timidement, timidly
tirer, to draw, pull, derive; tirer une photographie, to photograph
le tiret, dash
le tiroir, drawer
toi, thou, thee
la toile, linen

le toit, roof
la toiture, roof
tomber, to fall
ton, ta, tes, thy
le torchon, dishcloth
le torrent, torrent
la torture, torture
tôt, soon
toucher, to touch
toujours, always
la tour, tower
le tour, turn; faire le tour, to go around; à tour de rôle, in turn; à double tour, with a double turn of the key
le touriste, tourist
tourmenter, to obsess, worry
tout, toute, tous, toutes, every, all, whole
tout, very
tout à coup, suddenly
tout à fait, entirely
tout à l'heure, just now
tout au long, at length
tout au plus, at most
tout d'abord, at the very first
tout de même, all the same
tout de suite, immediately, at once
tout le monde, everybody
tracer, to draw, trace
traduire, to translate
en train de, in the act of
le train de derrière, haunches
se traîner, to drag
traire, to milk
le trait d'union, hyphen

le **traitement,** treatment
la **tranche de gigot,** slice of lamb
tranquille, quiet
tranquillement, quietly
le **transport,** transportation
transporté, –e, de joie, carried away with joy
le **travail,** work; **le travail de la terre,** farming
travailler, to work, plow, till
à **travers,** through, across
en **travers,** crosswise
traverser, to cross
treize, thirteen
treizième, thirteenth
tremblant, –e, trembling
trembler, to tremble
trente, thirty
trentième, thirtieth
très, very
le **trésor,** treasure
tressaillir, to quiver, start
une **trêve,** a truce
le **tricorne,** three-cornered hat
le **triomphe,** triumph
triste, sad
tristement, sadly
trois, three
troisième, third
la **trompe,** horn
se **tromper,** to be mistaken
la **trompette,** trumpet
le **trompeur,** deceiver
trop, too, too much, too many
le **trottoir,** sidewalk
le **trou,** hole
se **troubler,** to become agitated, get muddled

le **troupeau,** flock
trouver, to find; **se trouver,** to be, happen
la **truite,** trout
tuer, to kill
à **tue-tête,** at the top of one's voice
la **tyrannie,** tyranny

U

un, une, a, an, one
l'**usage,** *m.* custom
utile, useful
utilement, usefully; profitably
l'**utilité,** *f.* usefulness

V

va, goes, is going; **va-t'en,** go away; **va!** I assure you
les **vacances,** *f.* vacation
la **vache,** cow
la **vaillance,** valor
vaincre, to conquer
je **vais,** I am going
valent mieux, are better
la **vallée,** valley
valoir mieux, to be better
valurent, earned
varié, –e, varied
le **vase,** vase
il **vaudrait mieux,** it would be better
se **vautrer,** to wallow, roll
le **veau,** calf, veal
la **veille,** eve, day before
le **velours,** velvet

vendre, to sell
le **vendredi,** Friday
venez, come
se **venger,** to avenge oneself
vengeur, avenging
venir, to come; **venez,** come; **venu, –e,** come
le **vent,** wind
le **ver,** worm; **le ver à soie,** silkworm
le **verbe,** verb
le **verger,** orchard
véritable, real
véritablement, really
la **vérité,** truth
je **verrais,** I should see
le **verre,** glass
nous **verrons,** we shall see
vers, toward, about
vert, –e, green
le **vêtement,** garment, piece of clothing
vêtir, to clothe
il **veut,** he wishes
veut dire, means
je **veux,** I want; **il veut,** he wants
la **viande,** meat
la **victime,** victim
la **victoire,** victory
vide, empty
la **vie,** life
il **viendra,** he will come
il **vient,** he comes, is coming; **vient d'avoir six ans,** is just six years old; **ils viennent,** they come
vieux, vieille, old

vif, vive, vivacious, quick
la **vigne,** vine
la **vigueur,** vigor, strength
le **village,** village
la **ville,** city
le **vin,** wine
vingt, twenty
vingt et un, twenty-one
vingt et unième, twenty-first
vingtième, twentieth
il **vint,** he came
violet, violette, violet, purple
Virgile, Virgil
le **visage,** face
la **visite,** visit
visiter, to visit
il **vit,** he saw
vite, quickly
la **vitrine,** shop window
vivant, –e, living, modern
vive le roi ! long live the king !
vivre, to live, exist
les **vivres,** food
le **vocabulaire,** vocabulary
voici, here is, here are
voilà, there is, there are
voir, to see
le **voisin,** la **voisine,** neighbor
il **voit,** he sees
la **voiture,** carriage, wagon
la **voix,** voice
voler, to steal, fly
le **voleur,** thief
la **volonté,** will
le **volume,** volume
vont voir, go to see
vos, your
votre, vos, your

le **vôtre,** la **vôtre,** les **vôtres,** yours
il **voudrait,** he would like
il **voulait,** he wanted; **il aurait voulu,** he would have wished; **je m'en voulais,** I was angry at myself
voulez-vous? will you? do you wish?
vouloir, to wish, want
voulu, –e, wished, liked
vous, you, to you
voyant, seeing
la **voyelle,** vowel

voyez-vous? do you see?
vrai, –e, true
vraiment, truly
vu, –e, seen
la **vue,** sight

Y

y, there, to it, to them
y a-t-il? is there? are there?
les **yeux,** *m.* eyes

Z

zébré, –e, striped

VOCABULAIRE ANGLAIS–FRANÇAIS

A

accuse, accuser
act, agir
admire, admirer
after, *prep. and adv.*, après
after, *conj.*, après que
alarm clock, le réveille-matin
all, tout, toute, tous, toutes
already, déjà
also, aussi
always, toujours
and, et
answer, répondre
any, du, de la, de l', des; de; en
anything, quelque chose, *m.*
apartment, un appartement
apple, la pomme
April, avril, *m.*
are there? y a-t-il?
armchair, le fauteuil
army, une armée
arrive, arriver
article, un article
artist, artiste, *m. ou f.*
as . . . as, aussi . . . que
as soon as, aussitôt que.
at once, tout de suite
August, août, *m.*
aunt, la tante
automobile, une automobile, une auto
avenue, une avenue

B

baby, le bébé
bad, mauvais, –e; **too bad,** dommage, *m.*
badly, mal
battle, la bataille
banana, la banane
be, être
beautiful, beau, belle
because, parce que
become, devenu, –e
become, devenir
bed, le lit
before, avant *(time)*, devant *(place)*
behind, derrière
belongings, affaires, *f.*
bench, le banc
best, le meilleur, *adj.;* le mieux, *adv.*
better, meilleur, *adj.;* mieux, *adv.*
bite, mordre
bitter, amer, amère
black, noir, –e
blue, bleu, –e

blush, rougir
bonbon, le bonbon
book, le livre
born, né, -e
borrow, emprunter
bottle, la bouteille
bought, acheté, -e
boulevard, le boulevard
box, la boîte
boy, le garçon
brass, le cuivre
brave, brave
bread, le pain
break, casser
breakfast, le déjeuner; déjeuner
bright, intelligent, -e
bring, apporter
brother, le frère
brush, la brosse; brosser, se brosser
busy, occupé, -e
but, mais
buy, acheter

C

cake, le gâteau
can, puis *ou* peux, peut, pouvons, pouvez, peuvent
cane, la canne
cap, la casquette
care; to take — of, avoir soin de
carpenter, le menuisier
carry, porter
castle, le château
cat, le chat
chair, la chaise
chalk, la craie

chapel, la chapelle
cheerful, gai, -e
cherry, la cerise
chiffonier, le chiffonnier
child, enfant, *m. ou f.*
choose, choisir
chop, couper
Christmas, le Noël
church, une église; at church, à l'église
city, la ville
class, la classe
classroom, la salle de classe
close, fermer
closet, une armoire
coat, un habit
coffee, le café
cold, froid, -e
collar, le col
color, la couleur
comb, le peigne; se peigner
come, venu, -e; venir
come back, revenu, -e; revenir
come down, descendre
come in, entrer
comfortable, confortable
condition, la condition
confidence, la confiance; to have confidence in, avoir confiance en
country, la campagne (*as opposed to town*); le pays
courage, le courage
cousin, le cousin, la cousine
cultivate, cultiver
cup, la tasse
cure, guérir
curtain, le rideau

D

day, le jour
dead, mort, -e
deal; a great —, beaucoup
dear, cher, chère
December, décembre, *m.*
deep, profond, -e
defend, défendre
desire, désirer
desk, le pupitre, le bureau
died, mort, -e
difficult, difficile
dine, dîner
disobey, désobéir
dog, le chien
door, la porte
dozen, la douzaine
draw, le tiroir
dress, la robe; s'habiller
dressmaker, la couturière

E

ear, une oreille
early, de bonne heure
easy, facile
eat, manger
egg, un œuf
eight, 'huit
eighteen, dix-huit
eighteenth, dix-huitième
eighth, 'huitième
eightieth, quatre-vingtième
eighty, quatre-vingts
eighty-first, quatre-vingt-unième
eighty-one, quatre-vingt-un
eleven, onze
eleventh, onzième
Englishman, un Anglais
enough, assez
enter, entrer
ever, jamais
every, tout, toute, tous, toutes
everybody, tout le monde
except, excepté; à l'exception de
excuse, excuser
exercise, un exercice, un thème, un devoir
expect, compter

F

face, la figure
faithful, fidèle
fall, tomber
family, la famille
father, le père
February, février, *m.*
field, le champ
fifteen, quinze
fifteenth, quinzième
fifth, cinquième
fiftieth, cinquantième
fifty, cinquante
fifty-first, cinquante et unième
fifty-one, cinquante et un
fifty-two, cinquante-deux
fill, remplir
filled with, rempli, -e de
find, trouver
fire, le feu
first, premier, première
five, cinq
floor; on the —, par terre
flower, la fleur
fond; to be — of, aimer
for, pour
forbid, défendre

forget, oublier
fortieth, quarantième
fortunately, heureusement
forty, quarante
forty-first, quarante et unième
forty-one, quarante et un
forty-two, quarante-deux
found, trouvé, –e
four, quatre
fourteen, quatorze
fourteenth, quatorzième
fourth, quatrième
frame, le cadre
fresh, frais, fraîche
Friday, le vendredi
friend, un ami, une amie
from, de
front; in front of, devant
funny, drôle

G

garden, le jardin
general, le général
generous, généreux, généreuse
get up, se lever
girl, la fille
give, donner
given back, rendu, –e
glad, content, –e
glass, le verre
go down, descendre
gone, allé, –e
gone away, parti, –e
gone back, retourné, –e
gone out, sorti, –e
good, bon, bonne
goods, la marchandise

grammar, la grammaire
grandfather, le grand-père
grape, le raisin
green, vert, –e
guess, deviner

H

hair, un cheveu; les cheveux
hand, la main
handkerchief, le mouchoir
hang, suspendre
happy, heureux, heureuse
hat, le chapeau
have, avoir
he, il, lui
hear, entendre
her, son, sa, ses; la, elle; **to her,** lui
here is, here are, voici
heroine, une héroïne
hers, le sien, la sienne, les siens, les siennes
high, ʽhaut, –e
him, le, lui; **to him,** lui
his, le sien, la sienne, les siens, les siennes; son, sa, ses
home; at —, à la maison
honest, honnête
hot, chaud, –e
hotel, un hôtel
hour, une heure
house, la maison; **at the house of,** chez
how many, combien; **how many are,** combien font
hundred, one hundred, cent
husband, le mari

VOCABULAIRE ANGLAIS–FRANÇAIS

I

I, je, moi
ill, malade
immediately, tout de suite
in, dans, en, de
inhabited, habité, –e, occupé, –e
ink, encre, *f.*
inkstand, un encrier
intelligent, intelligent, –e
intend, compter
interesting, intéressant, –e
is there? y a-t-il?
Italian, italien, italienne
ivory, l'ivoire, *f.*

J

January, janvier, *m.*
July, juillet, *m.*
June, juin, *m.*
just now, tout à l'heure

K

key, la clef
kind, bon, bonne

L

lace, la dentelle
land, la terre
large, grand, –e
last, dernier, dernière; **last evening**, hier soir
late, tard; **to be late**, être en retard
laugh, rire
lawyer, un avocat
lazy, paresseux, paresseuse
learned, appris, –e
leave, laisser, partir
left, laissé, –e, parti, –e
lend, prêter
less, moins
letter, la lettre
light colored, clair, –e
like, aimer
linen, la toile
live, demeurer
look at, regarder
look for, chercher
lose, perdre
lost, perdu, –e
love, aimer

M

magnificent, magnifique
maid, la bonne
make, faire
man, un homme
many; a great —, beaucoup
marble, le marbre
March, mars, *m.*
mark, la note
market, le marché
master, le maître
May, mai, *m.*
me, me, moi; **to me**, me
medal, la médaille
medicine, le médicament, la médecine
men; young —, les jeunes gens
midnight, minuit, *m.*
milk, le lait
milliner, la modiste
mine, le mien, la mienne, les miens, les miennes

minute, la minute
moat, le fossé
Monday, le lundi
money, l'argent, *m.*
month, le mois
more, plus
morning, le matin
mother, la mère
much, beaucoup
must, il faut que; **I must,** il faut que je
my, mon, ma, mes

N

naughty, méchant, –e
navy, la marine
near, près de
neck, le cou
necktie, la cravate
need, avoir besoin de
neighbor, le voisin, la voisine
nephew, le neveu
never, ne . . . jamais
newspaper, le journal
next, prochain, –e
niece, la nièce
nine, neuf
nineteenth, dix-neuvième
ninetieth, quatre-vingt-dixième
ninety, quatre-vingt-dix
ninety-first, quatre-vingt-onzième
ninety-one, quatre-vingt-onze
ninth, neuvième
no, non; ne . . . pas de
noise, le bruit
no longer, no more, ne . . . plus
noon, midi, *m.*

not, ne . . . pas
notebook, le cahier
nothing, ne . . . rien
notice, remarquer
novel, le roman
November, novembre, *m.*
now, maintenant, à présent

O

obey, obéir
October, octobre, *m.*
of, de; **of the,** du, de la, de l', des
officer, un officier
often, souvent
old, âgé, –e, vieux, vieille
on, sur
once, une fois; **at once,** tout de suite
one, un, une; **the one,** celui, celle
only, seulement
open, ouvrir
opened, ouvert, –e
or, ou
orange, une orange
other, autre
our, notre, nos
ours, le nôtre, la nôtre, les nôtres.

P

package, le paquet
paper, le papier
paragraph, le paragraphe
parent, le parent
pass, passer
patience, la patience
peach, la pêche

VOCABULAIRE ANGLAIS–FRANÇAIS

pear, la poire
peas, les petits pois
pen, la plume
pencil, le crayon
penknife, le canif
people, les personnes, *f.;* on
photograph, la photographie
pick up, ramasser
picture, le tableau
piece, le morceau; **piece of furniture**, le meuble
pity; **what a —**, quel dommage!
plant, planter
play, jouer
play, une pièce
pleasant, aimable
please; **if you —**, s'il vous plaît
pleasure, le plaisir
pocket, la poche
poor, pauvre
potato, la pomme de terre
pound, la livre
praise, louer
pray, prier
prefer, aimer mieux, préférer
prepare, préparer
present, le cadeau
pretty, joli, –e
prize, le prix
proud, fier, fière
pull up, arracher
punish, punir
pupil, élève, *m. ou f.*
purse, la bourse
put, mis, –e

Q

quarter, le quart

R

ran; **she —**, elle a couru
read, lu, –e
receive, recevoir
red, rouge
regiment, le régiment
relate, raconter
relative, le parent
remain, rester
respect, respecter
return (*give back*), rendre
return home, rentrer
ribbon, le ruban
rich, riche
ring, sonner
ring, la bague
room, la chambre, la salle
rose, la rose
ruler, la règle
run, courir

S

sad, triste
Saturday, le samedi
school, une école; **at school**, à l'école
scold, gronder
seated, assis, –e
second, second, –e, deuxième
second, la seconde
see, voir
seen, vu, –e
seize, saisir
sell, vendre
sentence, la phrase
September, septembre, *m.*
serious, sérieux, sérieuse

servant, le domestique
seven, sept
seventeen, dix-sept
seventeenth, dix-septième
seventh, septième
seventieth, soixante-dixième
seventy, soixante-dix
seventy-first, soixante et onzième
seventy-one, soixante et onze
seventy-two, soixante-douze
several, plusieurs
sew, coudre
shade, le store
short, petit, –e
show, montrer
sick, malade
silver, argent, m.
sing, chanter
sister, la sœur
six, six
sixteen, seize
sixteenth, seizième
sixth, sixième
sixtieth, soixantième
sixty, soixante
sixty-first, soixante et unième
sixty-one, soixante et un
sixty-two, soixante-deux
skillful, habile, adroit, –e
small, petit, –e
soap, le savon
soil, salir
soldier, le soldat
some, du, de la, de l', des; de; en
sometimes, quelquefois
son, le fils
song, la chanson
soup, la soupe

speak, parler
spite; in — of, malgré
standing, debout, adv.
statue, la statue
stay, rester
stead; in their —, à leur place
store, le magasin
story, une histoire
strawberry, la fraise
street, la rue
string bean, le 'haricot vert
study, étudier
succeed, réussir
such a, un tel, une telle
suddenly, tout à coup, subitement
sugar, le sucre
summer, l'été, m.
Sunday, le dimanche

T

table, la table
take, prendre
taken, pris, –e
take off, ôter
talent, le talent
talk, parler
tall, grand, –e
tea, le thé
tell, raconter, dire
ten, dix
tenth, dixième
than, que
thank, remercier (de)
that, *demon. adj.*, ce, cet, cette
that, *demon. pron.*, celui, celle; celui-là, celle-là
that, *rel. pron.*, qui, que

VOCABULAIRE ANGLAIS–FRANÇAIS

that, *conj.,* que
theater, le théâtre
thee, te, toi; **to thee,** te
their, leur, leurs
theirs, le leur, la leur, les leurs
them, les, eux, elles; **to them,** leur
there is, there are, il y a; voilà
these, *adj.,* ces; *demon. pron.,* ceux, celles; ceux-ci, celles-ci
they, ils, elles, eux, elles
thine, le tien, la tienne, les tiens, les tiennes
thing, la chose
think, penser; **think of,** penser à
third, troisième
thirteen, treize
thirteenth, treizième
thirtieth, trentième
thirty, trente
thirty-first, trente et unième
thirty-one, trente et un
thirty-two, trente-deux
this, *adj.,* ce, cet, cette; *demon. pron.,* celui, celle; celui-ci, celle-ci
those, *adj.,* ces; *demon. pron.,* ceux, celles; ceux-là, celles-là
thou, tu, toi
thousand, one thousand, mille
three, trois
Thursday, le jeudi
thy, ton, ta, tes
tie, la cravate
till, cultiver
time, heure, *f.;* **on time,** à l'heure
times, fois
tired, fatigué, -e
to, à; **to the,** au, à la, à l', aux

to-day, aujourd'hui
to-morrow, demain
too, aussi, trop
too much, trop
tooth, la dent
tower, la tour
tree, un arbre
Tuesday, le mardi
twelfth, douzième
twelve, douze
twentieth, vingtième
twenty, vingt
twenty-first, vingt et unième
twenty-one, vingt et un
twenty-two, vingt-deux
two, deux

U

umbrella, le parapluie
uncle, un oncle
unfortunate, malheureux, malheureuse
unjustly, injustement
untruthful, menteur, menteuse
us, nous; **to us,** nous
useful, utile

V

vegetable, le légume
very, très, bien
village, le village
visit, visiter

W

wait, attendre
waken, se réveiller, réveiller
walk, marcher
want, veux, veut, voulons, voulez, veulent

war, la guerre
wash, se laver, laver
watch, la montre
water, l'eau, *f.*
wear, porter
Wednesday, le mercredi
weed, la mauvaise herbe
week, la semaine
well, bien
what, *adj.*, quel, quelle, quels, quelles; *inter. pron.*, qu'est-ce qui, que; *rel. pron.*, ce qui, ce que; quoi
when, quand
where, où
which, *adj.*, quel, quelle, quels, quelles; *pron.*, qui, que, lequel, laquelle, *etc.*; **of —,** dont, duquel, de laquelle, *etc.*
white, blanc, blanche
who, qui
whom, *rel.*, que; *inter.*, qui
whose, *rel.* dont; *inter.*, à qui
why, pourquoi
wicked, méchant, –e
wide, large
wife, la femme
win, remporter
window, la fenêtre
wind up, remonter
winter, un hiver
wish; do you —, voulez-vous; **he wishes,** il veut
with, avec
without, sans
woman, la femme
wood, le bois
word, le mot
work, travailler
workman, un ouvrier
wounded, blessé, –e
write, écrire
written, écrit, –e

Y

year, un an, une année
yellow, jaune
yes, oui
yesterday, hier
yet, encore; **not yet,** pas encore
young, jeune
your, votre, vos
yours, le vôtre, la vôtre, les vôtres